KB096588

시간을 걸어서 나를 만났다

시간을 걸어서 나를 만났다

김기웅
함성일
시옷
최송희

글Ego

들어가며

우리가 평균 기대 수명의 삶을 산다고 가정하면 대략 80여년의 시간을 이 세상에서 보내게 되는 셈인데 그 시작과 끝이 어디인지를 생각해 보면 시작은 희미하고 끝은 막연하여 잘 보이지 않습니다. 아마도 어머니의 뱃속 아주 작은 점에서 시작되어 수 천 번의 합성과 분열을 거쳐 아이에서 어른으로 성장하여 그 막연한 끝을 향해 매일을 살아갈 겁니다.

세상이 정해놓은 몇 가지 무뚝뚝한 기준을 따른다면 저는 이미 어른이 된지 한참을 지나 보내 왔지만 어떻게 사는 것이 어른다운 것이고, 또 어떻게 사는 것이 잘 사는 것인지 여전히 알지 못합니다. 가정과 학교라는 안전한 울타리에서 벗어나 사회 구성원이라는 무거운 타이틀을 짊어지고 세상의 틈으로 스며들 때 마다 '과연 나는 잘 살고 있나?'라는 질문을 오래전 부터의 매일이 대신해줍니다. 돌이켜 보면 티끌 같은 사소함 때문에 나를 절벽 끝으로 몰아 넣은 적도 있었고 때론 기대했던 결과에 미치지 못해서 혹은 한계에 다다른 내 능력을 탓하며 스스로를 모질게 굴었던 과거의 내 모습이 후회스러울 때가 있습니다. 어쩌면 잘 산다는 것은 아무런 미안함과 아쉬움 없이 먼 훗날의 나를 마주 하는 게 아닐까라는 생각이 들었습니다. 지난 날의 나와 지금의 나, 그리고 먼 훗날의 나는 그저 시간이라는 끈으로 느슨하게 묶인 완벽한 타인일지도 모릅니다.

여기, 시간을 걸어서 만나게 될 낯선 나에게 전할 다섯 개의 이야기가 있습니다. 이 이야기가 무심하게 지나 보낸 과거의 나에 대한 애틋함으로, 그리고 훗날 마주하게 될 미래의 나에 대한 반가움으로 여러분들이 붙잡고 있을 시간의 끈을 통해 잘 전달 되었으면 좋겠습니다.

- 공동저자 中 함성일

차 례

서른 번의 선택

김기웅

김기웅

나이가 들며 세상을 깨우치기보다는 답답함이 커지는 요즘입니다. 몸은 커졌지만 나라는 한 사람이 이렇게 작을 수 있다는 걸 느끼기도 합니다. 내 눈을 떠야 세상이 존재한다지만 나의 세상은 왜 이렇게 답답할까요. 번뇌와 고통이 가득한 삶을 벗어나기 위해 사람은 이기적으로 변하는가 봅니다. 이기적인 선택을 해도 행복해지길 바랍니다. 행복해진다면 다시 따뜻한 세상을 마주할 수 있을 테니까요.

instagram: @kikiwoong

email: kkw103403@naver.com

나는 엄마가 죽기를 바란다. 나이가 들며 젊었을 때의 지혜와 지식을 잃고 바보가 된 지금의 엄마는 나에게 짐만 될 뿐이다. 아니다. 살아있길 바란다. 조금이라도 더 내 곁에 남아서 온기를 전해줬으면 한다. 아니, 사실은 정말로 바라는 건 내가 관여하지 않은 상태에서, 불의의 사고로 또는 본인의 실수로 죽었으면 한다. 그러면 내 삶은 좀 더 윤택해지지 않을까. 며칠 울고 나면, 몇 달 마음 아파하면 남은 내 삶은 생각보다 자유로울 거 같다는 생각을 한다. 사실 다른 사람들도 주변 눈치가 보여서 짐을 버리지 못하고 있는 거 아닐까.

덜컹- 덜컹-. 문이 열린다. 적막한 집에 한 줄기 빛과 함께 소란스러운 자동차 경적이 현관을 엄습한다. 턱. 턱. 턱. 물기 가득한 발자국을 남긴다. 진득한 습기가 숨을 콱, 적잖이 답답하다. 킁, 킁, 미간이 좁혀진다. 두리번두리번 냄새를 찾아 바쁘게 움직이는 눈동자. 두 손가락으로 막은 코와 굳게 닫힌 입. 숨 쉬는 것도 잊고 마침내 찾아낸 냄새는 화장실 문을 밀고 나오며 온 집 안에서 난동 피우고 있다. 이 친구들을 다루는 방법은 간단하다. 먼저 문을 살짝 열고 방향제를 곳곳에 뿌린다. 비닐에 물을 담아 묶어서 화장실 배수구에 올려놓고 다시 한 번 방향제를 뿌린다. 배수구 위의 물봉투를 바라보며 조금씩 조금씩 호흡을 시작한다. 숨쉬기 편해질 때쯤 문을 닫고 나오면 된다.

냉장고 문을 연다. 배달용기에 담겨 있는 빨간 김치찌개를 꺼낸다. 용기 둘레에 돼지고기 기름이 굳어서 띠를 이루고 있다. 2분 30초의 시간이 지나고 김이 피어오르는 밥을 차가운 찌개에 만다. 두 온도가 적당히 섞여 기름때가 사라지고 미지근한, 먹기 좋은 온도로 맞춰진다. 별다른 반찬 없이 김과 함께 먹는다. 쓰던 수저와 함께 먹다 남은 음식을 앞접시에 덜고 대충 수돗물 한 컵 받아서 안방으로 간다. 어두운 방에는 요에 누워있는 노인이 있다. 방 안의 텔레비전 불빛만이 방 안의 형체를 비춘다. 반짝이는 자개장, 오래된 밥상, 거꾸로 매달아 놓은 장미꽃 한 다발과 그 옆에 붙어있는 부적 한 장. 밥상에 음식을 놓으며 노인을 부른다.

"일어나. 밥 먹어."

툭. 툭. 무심히 내려놓은 밥과 달리 노인을 부드럽게 일으킨다. 등을 받치는 손에 축축한 옷감이 느껴진다. 얼마나 오랫동안 누워있던 걸까. 노인을 일으켜 세우고 옷 끝자락을 잡고 몇 번 펄럭인다.

"아-"

한 숟가락 입에 넣는다. 수저가 입안에 걸려서 나오지 않는다. 이빨 사이에 낀 듯하다. 노인의 입을 벌려 수저를 위로 들며 조심히 빼낸다.

"다시, 아~"

"아~"

또 한 숟가락 입에 넣는다. 먼저 넣었던 음식이 아직 입에 남아있다. 이빨이 부족한 노인은 음식을 고루 다지기 어려워 보인다. 오물오물 씹는 시간이 길어진다.

"엄마, 이제 밥은 혼자서 먹을 수 있지 않아?"

다시 한 숟가락 입에 넣는다. 텔레비전 소리로 가득한 방에 벨소리가 끼어든다. 전화에 떠오른 이름은 한숨을 내쉬기에 충분했다. 심호흡하고 전화를 든다.

"네, 전화받았습니다."

"이 대리, 퇴근했어?"

심장이 요동친다. 체온도 오르는 것 같다. 애써 목소리를 가다듬는다.

"네, 무슨 일이라도 있나요?"

전화가 길어질 거 같은 예감에 방을 나선다. 허리를 숙이고 수화기에 손을 받친다.

"지금요? 지금은 좀 힘듭니다..."

안방에 있는 엄마와 눈을 마주친다.

"내일은 안될까요?"

머리를 헝클고,

"죄송합니다."

집안을 배회하며 괜히 이것저것 만지기도 한다.

"죄송합니다."

창문 앞에서 가로등을 바라본다. 비 때문인지 빛이 번진다.

"내일 일찍 나가서 출근하시기 전에 마무리해놓겠습니다."

우산 쓰고 지나가는 사람들이 보인다.

"감사합니다."

전화를 끊고 거실로 돌아온다.

후우- 거실상에 전화를 뒤집어 놓고 소파에 몸을 누인다. 아마 이 집에서 유일하게 포근한 어떤 것일 거다. 눈을 감고 빗소리에 집중한다. 규칙적인 듯하지만 제멋대로인 소리에 점점 빠져든다. 빠져들수록 시커먼 마음이 머리를 채워간다. 너흰 어디로 가는지 알고 내려오는 거냐? 너희도 하늘에게 버림받은 거냐? 아니면 하늘이 싫어 도망쳐 나온 거냐? 그곳을 벗어나면 수많은 발에 이리 치이고 저리 치이다 냄새나는 하수구로 흘러들어 가는 건 알고 있는지, 괜히 하늘을 벗어나서 후회하진 않는지, 어린애 같은 생각에 깊게 빠져들 때쯤.

달그락달그락. 달그락달그락. 쨍그랑!

눈이 번쩍 뜨인다. 깊게 숨을 한 번 들이마시고 크게 내뱉는다. 무거운 몸을 일으켜 슬그머니 안방으로 간다. 눈을 마주치자마자 피하는 노인. 그 시선의 끝에는 널브러진 접시가 보인다.

"아냐..! 내가 한 거 아냐."

이불에 묻은 몇몇 음식도 보인다. 내 시선을 따라온 엄마의 손이 황급히 음식을 훔친다.

"그럼 이게 누가 한 건데!"

범인을 잡듯이 다그친다. 노인은 잔뜩 어깨를 움츠린다. 바들 거리는 몸에 어떻게든 힘을 넣어 노인을 잡은 내 팔을 뿌리친다. 동시에 어린아이가 떼쓰는 소리를 낸다. 무서운 귀신을 내쫓듯 두 눈을 감고 양팔을 힘차게 휘젓는다. 노인이 잡은 음식이 여기저기 튄다.

"아... 제발..."

내 목소리에 노인은 눈을 흘끔 뜨고는 다시 꾹 감는다. 안다. 놀랐을 거다. 무서울 거다. 하지만 중요하지 않다. 말 안 듣는 어린아이를 제압하듯이 강제로 눕히고 이불을 덮어씌운다. 노인의 양팔을 꽉 잡는다. 발버둥친다. 양팔뿐만 아니라 양발, 몸통, 허리, 머리통까지 모든 곳이 도마 위 생선처럼 펄떡이고 있다. 곧 죽을 것을 아는 생선의 눈빛은 어떤 모습이었더라? 아니 근데 생선이 자기가 곧 죽을 거라는 걸 알기는 하나? 아니, 모를 거야. 곧 죽을 걸 아는 놈이 그렇게 유유자적하게 수조를 헤엄치고 있을 리가 없잖아. 근데 수조에서 죽는 애들은 뭐지? 쓸데없는 생각 중에 온몸으로 발버둥치던 엄마가 이제 좀 잠잠해졌다. 지쳤겠지. 엄마를 잡고 있던 손을 풀고 벽에 기대어 앉는다. 멍하니 숨만 쉬고 있는 나를 포함해서 널브러진 접시도, 지쳐 쓰러진 엄마도 이 방에는 정상적인 것이 없다.

호흡을 고르고 몸을 일으킨다. 이불을 정리하고, 접시를 치운다. 말없이 방안의 음식물을 닦아낸다. 그때 적막함을 깨고 텔레비전의 뉴스 소리가 들려온다.

"국민 여러분, 안락사가 합법화되었습니다."

이 법의 취지는 불치병 또는 오랜 중증 환자 때문에 고통받고 있는 가족들에게 행복을 위한 선택권을 주기 위해 만들어졌다고 한다. 세상은 안락사에 관한 이야기로 가득하다. 뻔하디뻔한 이야기다. '자신의 삶을 결정할 권리'라던가, '자기결정권'이라던가, '죽음을 악용'한다던가, '생명이 경시'된다던가 하는 뻔한 탁상공론. 그리고 한 경제학자가 안락사를 적극 권장하여 사회 경제인구를 건전한 비율로 조정하면 좀 더 활기차고 건강한 사회를 만들 수 있다는 주장을 펼쳤다. 즉 인구수를 국가가 통제한다면 노인을 떠받들기 위한 천문학적인 복지예산을 극적으로 줄일 수 있고 좀 더 필요한 곳에 사용하거나 나라 빚을 줄일 수 있다고 하는 전체주의적 의견을 냈다가 꽤나 논란이 되었고, 이에 동조한 젊은 세대들은 안락사법을 심판자인양 휘두르기 시작했다. 특히 노인과 병자, 장애인 등의 사회적 약자에 대한 혐오가 사회 이곳저곳에서 피어오르고 있었는데, 그 중 노인은 아마 세대갈등에 따른 발로라고 생각된다. 젊은 세대들을 이해하지 못하고 고집스럽게 노력만을 강조하는 노인들에 대한 반란. 말이 안 통하는, 시대를 잘 타고 나서, 운이 좋았던 옛 세대들에 대한 젊은 세대들의 폭력적 집단행동. 젊은 세대의 운동이 들불처럼 번지자 한 노인이 자신들을 늙고 쓸모없다는 이유로 죽이지 말아달라는 영상을 게시했고 높은 조회수를 기록했다. 하지만 그 댓글은 노인을 비아냥 대기에 바빴다. '곧 죽을 사람이 말도 하네.', '어느 집 부모길래 아직도 안 죽었냐, 부모교육 안 시키냐.', '눈치 없이 오래 살려고 그러네.' 물론 인터넷 속의 얘기다. 장애인 또한 마찬가지다. 장애를 가진 사람들은 세상에 나오길 무서워했고 사람들의 시선을 받는 것에 공포를 느꼈다. '왜 아직 죽지 않아서

민폐나 끼치냐 너도 어서 따라 죽으라'는 죽음을 강요하는 사람도 생겼으며, 안락사를 택하지 않는 것에 대해 집단 괴롭힘까지 이어졌다. 여러 인권단체나 운동들이 일어났지만, 시종일관 뉴스에서 들려주는 것은 '안락사가 불러온 혐오'라는 사회문제만을 비췄고 그 때문에 세대 간의 혐오는 더욱 부추겨졌다. 그리고 조용하지만 급격하게 늘어나고 있는 숫자. 환자를 돌보고 있는 간병인 가족의 안락사 신청수이다. 그리고 오늘 내가 도착한 이곳. 이곳은 안락사를 신청하는 곳이며 현재 대기표를 받아야 한다. 내가 받은 번호는 129번이고, 지금은 아침 9시 10분이다.

간병인의 자격으로 신청한 안락사 상담은 몇 가지 질문과 서류가 필요했다. 안락사시킬 사람과 간병인에 대한 등본, 간병인과의 관계, 진료기록, 처방기록, 가족동의서 등.

"치매환자를 8년이나 간병했네요. 네, 이 정도면 됩니다."

상담사는 서류를 정리하고 안락사 방법에 대한 안내책자를 건넨다.

"약은 하루 한 번씩 먹어야 합니다. 30일 동안요. 하루라도 거르거나 29알만 먹어서는 효과 없어요."

안락사에 대한 방법은 간단했고, 그만큼 잔인했다.

"그리고... 여기에 이름 적으시고 사인하면 됩니다."

담당 공무원이 건네주는 볼펜을 잡고 서명 칸에 이름을 적는다. 펜 끝이 떨린다. 그럼에도 멈추지 않고 천천히, 꾸욱 꾸욱 눌러쓴다.

이인하.

구불거리는 글씨가 꽤나 볼품없다. 약통을 쥔 손에 땀이 난다. 조심히 가방에 챙겨 넣고 축축한 손잡이를 밀어 넘긴다.

"마지막으로 아무리 합법이라지만 후회하지 않으시길 바랍니다. 조심히 가세요."

그 새 사람들이 더 몰린듯하다. 가슴 떨리는 기분으로 길을 나선다. 조금은 가볍게 느껴지는 걸음이다.

당일 저녁부터 엄마에게 약을 건네기 시작했다. 밥 먹던 엄마는 말없이 인하를 올려다본다. 두려워하는 눈빛이다.

"그냥 영양제야. 그냥 괜찮아질까 싶어서. 먹으면 도움이 돼."

떨리는 손으로 말없이 받아먹는 인하의 엄마. 인하는 약통을 바라본다. 한 알 가지고는 줄어드는 티도 안 나는 것이 아쉬운 듯 눈을 떼지 못한다.

"먹고 얼른 자. 나도 일찍 잘 거야."

말을 건네고는 방으로 들어가는 인하. 방에 드러누워 약통을 골똘히 바라본다. 창밖의 보름달이 인하의 방을 비추고 있을 뿐이다.

다음 날, 인하의 사무실. 기관총 마냥 키보드 두드리는 소리와 불꽃 튀는 클릭음이 들리는 공간. 한쪽 구석에서는 삼삼오오 모여서 안락사에 관한 얘기를 나누고 있다. 그 중 한 명은 어줍짢은 정의감으로 안락사를 선택한 사람들을 이해할 수 없다며 원색적인 비난을 쏟아낸다. 만약 자신의 주변에 그런 사람이 있다면 가만두지 않을 거라나. 딱히 말할 생각은 없지만 궁금하긴 하다.

'오, 이거 갖고 싶었던 건데, 세일하네.'

장바구니에 담으며 인터넷 쇼핑을 하는 인하. 담긴 가짓수가 꽤 된다. 옷, 지갑, 전자제품 등 자신의 낡은 허물을 벗어버리려는 듯 몸에 지닌 모든 것을 새로 살 기세다. 장바구니의 숫자가 계속 올라가는 중,

"그래서 결국엔 다 살인자라는 거지. 그것도 비겁한."

그 한 문장이 유독 선명하고 날카롭게 들렸다. 귓구멍을 통해 들어온 소리는 이내 심장을 움켜쥐는 느낌이다.

"뭐가 됐든, 살인을 한 거야."

짜증나네. 더 이상 듣기 싫은 얘기를 뒤로하고 인하는 장바구니에 담은 물건들을 결제한다.

'이젠 쓸 일 없으니까. 괜찮아.'

인하는 핸드폰을 집어 엄마에게 전화를 건다. 몇 번의 신호음이 지나고 엄마가 전화를 받는다.

"어. 엄마. 저녁 먹었어? 아, 약 먹으라고. 나 오늘 일이 많아서 좀 늦어. 어. 어. 알겠어. 잊지 말고 약 챙겨 먹어."

괜찮겠지? 혹시 모르니까 빨리하고 가야겠다. 인하는 업무에 집중한다. 인하의 손끝에서 키보드 소리가 터져 나온다. 그리고 점점 더 빨라지는 키보드 소리가 들린다.

심장을 움켜쥔 그 말 때문일까, 일을 마치고 집으로 가는 길이 영 찝찝하다. 인하는 오랜 친구에게 전화를 건다.

“아니, 그 사람은 너 사정을 모르니까 그렇게 말하지. 지도 똑같은 일 겪어봐라. 그 말 쏙 들어갈걸?”

서영의 말을 들으니 괜히 입꼬리가 올라가고 답답한 가슴이 한결 놓이는 기분이다.

“그치? 자기는 절대 그럴 일 없다고 생각하니까 그런 말을 하지. 당장에 나이 든 부모님만 있어도 아무 말 못 할 텐데.”

최근에 본 영상, 늙고 힘없는 자신들을 죽이지 말아 달라는 영상이 떠오른 인하다.

“아, 나도 그거 봤어. 그건 좀 불쌍하긴 하더라.”

서영는 영상의 노인이 우는 흉내를 내면서 말한다.

“우딜 듁이디 마댜듀세요~. 우디들 보샬뼈 주세요~. 아니 그럴 거면 진즉에 애들 탓 좀 그만하던가, 힘 다 빠지니까 이제 와서 이래?”

서영의 말을 들으니 한결 놓이는 기분에 웃음이 나오는 인하이다.

“고맙다. 덕분에 기분이 좀 나아졌어. 그건 그렇고 넌 요즘 어때?”

서영과 도란도란 이야기를 나누다 보니 어느새 집에 도착한 인하. 서영과의 전화를 마무리하고, 집에 들어선다. 우산을 탁탁 털고 신발장에 대충 세워놓는다. 엄마는 자고 있겠지. 조심히 방에 들어가 짐을 풀고 가벼운 차림으로 씻기 위해 화장실로 간다. 세안을 마치고 거울을 바라보는 인하.

그 후로 인하는 집을 나서는 일이 많아졌다. 아니 사실은 일부러 나갔다고 해야 할까? 짐 덩어리 하나 신경 안 쓰는 게 이렇게 행복한 일일 줄이야! 쥐꼬리만 한 월급에 다음 달부터 지출되지 않을 치료비와 병원비를 생각하면 돈을 어디에 써야할 지 벌써부터 고민이다. 저축? 아니, 그 간 고생한 날 위해 쓸 거야. 비싼 미용실에서 머리도 하고, 백화점에서 쇼핑도 한다. 그간 꿈도 꾸지 못했던 문화활동은 또 어떨지! 영화관에 간지는 얼마나 되었더라? 이제 혹시 연애도 할 수 있을까? 하루하루가 설레고 두근거린다. 이런 인하의 변화에 주변 사람들의 관심이 쏟아졌다. 인하씨, 요즘 연애해? 좋은 일 있어? 요즘 밝아진 거 같아서 보기 너무 좋다. 좋은 말을 들으니 먹구름 낀 듯이 칙칙하던 인하의 표정도 점차 밝아졌다. 눈에는 빛이 일렁이고, 목소리에는 힘이 실렸다. 반면에, 집에 가는 길, 집으로 돌아가는 시간은 차원을 넘어가는 터널을 지나가는 것처럼 전혀 다른 세상으로 인하를 데려갔다. 한 걸음, 한 걸음 늪에 빠지는 느낌. 길거리에 자리잡은 물웅덩이는 끈끈이가 되어 인하의 발걸음을 붙잡는다. 사람은 누구나 자기만의 지옥을 가지고 있다는데, 인하의 지옥은 집인 거 같다. 그럼에도 판도라의 상자 끝에 희망이 있었듯이, 인하는 오늘의, 오늘만 할 수 있는 일을 향해 무겁게 집으로 향할 뿐이다.

"엄마, 이제 거의 다 먹었다?"

약을 건네는 인하. 엄마는 약을 뿌리친다.

"안 먹어. 맛없어."

요즘 들어 약을 거부하는 엄마다. 처음에는 어르고 달래며 먹여봤지만 그것도 이제 슬슬 지친다.

"엄마, 엄마가 이걸 먹어야 내가 편해져."

물과 함께 건네보지만 등을 올리는 엄마다. 인하는 주방으로 가며 설탕을 꺼낸다.

"엄마, 그거 기억나? 엄마가 나 어렸을 때, 반찬 투정 같은 거 하면 잘게 갈아서 설탕이랑 같이 섞어 줬었잖아. 그러다 설탕 맛을 알아서는 충치도 많이 걸렸지. 지금도 단 거 좋아해."

인하는 물에 설탕을 섞고 알약을 벌려 가루를 넣는다. 수저로 휘휘 저으며 작은 소용돌이를 만든다. 그리곤 반대로 저으며 작은 유리컵 안에 생긴 소용돌이를 망친다.

"이거 먹어봐. 엄마가 나한테 해주던 방식인데, 기억하려나? 그래도 단물이니까 먹을 거 같은데. "

인하의 엄마는 물컵을 받아서 설탕 섞인 냄새를 맡더니 조금씩 마시기 시작한다.

"기억이 나면 난다고 말해봐. 엄마."

인하는 물을 마시는 엄마를 보며 눈가가 촉촉해진다. 물컵을 내려놓는 엄마. 인하는 엄마의 손을 잡고 만지작거린다.

"손톱이 많이 길었네."

따깍- 따깍- 인하는 엄마의 손가락을 깎아준다. 하나하나 세심히, 얇고 가늘게 깎는다. 오늘따라 손톱 깎는 시간이 길다. 지루한지 손을 빼는 엄마. 그런 엄마의 손을 꽉 쥐는 인하.

"가만히 있어. 어쩌면 이게 마지막일 수도 있어."

방에는 손을 내어주며 인하를 바라보는 엄마와 고개를 숙인 채 손톱을 깎아주는 인하가 있을 뿐이다. 따깍- 따깍-

손톱을 깎아주니 옛날 생각이 난다. 여름이었나? 밖에서 무리 지어 노는 어린이들의 웃음소리와 환한 빛이 집 안을 가득 채우고, 약간은 거친 엄마의 손이 내 손을 받치며 손톱을 깎아줬다. 그때는 손톱 깎는 게 왜 그렇게 무서웠는지. 눈을 꼭 감고 엄마의 목소리만 들을 뿐이었다.

"괜찮아. 엄마 믿지? 엄마는 우리 인하 아프게 하지 않아요."

부드러운 음성으로 인하를 안심시키는 엄마가 있었다.

"인하야. 인하는 밤에 손톱 깎지 말라는지 알아?"

눈을 꼭 감은 나는 고개만 저을 뿐이었다.

"밤에 손톱 깎으면 생쥐가 손톱을 먹고 그 손톱의 주인 모습으로 똑같이 변한대! 그리고 그 주인 행세를 하기 위해 원래 손톱의 주인을 해친다고 하지."

따깍- 따깍- 손톱을 깎으며 말을 잇는 엄마.

"만약에 인하가 실수로 밤에 손톱을 깎아서 인하로 변한 생쥐가 나타나거든. 엄마가 꼭 지켜줄게"

여전히 눈을 감고 있는 나는 엄마에게 말한다.

"어떻게 알고 지켜줄 거야? 똑같이 생겼다며."

어린 나의 질문에 엄마는 약간은 기분 좋은 듯한 목소리로 대답해줬었다.

“엄마는 다~ 알지~.”

그 때 엄마는 무슨 표정이었을까.

다음 날, 인하는 엄마가 좋아한 음식인 수제비를 만든다. 어렸을 때 자주 만들어 먹던 기억이 난다. 엄마는 얼큰한 맛을 좋아했었지. 고추장을 풀어서 얼큰하게 맛을 내고 반죽을 대충대충 찢어서 끓는 물에 넣어서 익힌다. 간단하게 한 그릇 만들어서 엄마에게 가져다준다.

“나 수제비 싫어해. 꼴도 보기 싫어.”

엄마의 입에서 의외의 대답이 나온다. 엄마는 수제비 꼴도 보기 싫다는 듯이 손을 내젓는다.

“엄마, 이거 자주 해 먹었잖아. 한 입 먹어봐.”

인하는 한 수저 떠서 엄마에게 내민다.

“싫다니까!”

엄마는 수저를 쳐낸다. 수제비가 인하에게 튀며 옷을 오염시켰다. 인하는 한숨을 쉬며 체념한다. 그리고 약과 물을 가져온다.

“그래, 그럼 이거라도 먹어. 밥 대신.”

인하는 엄마에게 약을 건넨다.

“그것도 싫어!”

갑자기 투정을 부리는 엄마에게 짜증이 솟구치는 인하. 억지로 입을 벌려 약을 쑤셔 넣는다. 엄마의 혀가 약을 밀어내려고 한다. 인하는 턱을 밀어 입을 막는다. 그리고 물 한 모금 입에 담고 엄마에게 입맞춤한다. 인하는 입에서 입으로 물을 밀어 넣는다. 인하의 입속에 있던 물은 엄마의 입으로 건너가며 당황한 엄마는 약과 함께 물을 삼킨다. 엄마는 또 한 번 경험한 폭력에 몸을 떨고 있다. 목적을 달성한 인하는 안쓰러운 눈으로 엄마를 바라보다가 고개를 돌려 안방을 나선다. 그리고 자신의 방으로 들어가 조용히 흐느낀다. 어느새 죽음은 한 걸음 앞으로 다가왔다.

엄마와의 사건이 있었던 후, 엄마는 인하를 피한다. 어쩌다 집에서 마주쳐도 눈을 피하며 도망간다. 그럼에도 인하는 엄마에게 약을 먹이고 있다. 다만 요즘 들어 눈에 띄게 약이 줄어드는 거 같다. 엄마와의 시간이 이렇게 끝날까 봐 두렵기 때문일까 한 알씩 줄 때마다 망설임이 커지고, 죽음이 성큼성큼 다가오는 게 느껴진다. 며칠째 그치지 않는 비는 불안감만 증폭시킨다. 이렇게 끝나면 안 되는데 자신을 계속 피하는 엄마를 보면 어떻게 해야 할 지 갈피를 못 잡겠는 인하다.

"야, 뭐해. 막걸리나 한잔하자."

허름한 가게 앞에서 만난 서영. 창가 쪽에 자리 잡고 파전과 막걸리 한 통을 시킨다. 이윽고 나온 파전은 노릇한 빛을 띄며 먹음직하게 펼쳐진다.

"야. 받아."

하얀 막걸리가 잔을 가득 채운다. 탁. 청명하지도 탁하지도, 무겁지도 가볍지도 않은 어딘가 부족한 알루미늄 부딪치는 소리가 듣기 좋다. 요란한 소리를 내던 빈 잔은 술을 채우니 진중해지는 거 같다. 잔을 나누다 보니 약간은 취기가 도는 거 같다. 지겨운 빗소리도 운치 있게 들린다. 괜히 조금은 감성적이 되는 거 같다.

“근데 말이야.”

서영이 잔을 채우면서 말을 한다. 조금은 말하기 어려운지 약간의 침묵이 흐른다.

“진짜로 할 거냐?”

인하는 잔을 채워주는 서영의 눈에 무엇이 들어있는지 바라보지만 오히려 자신이 벗겨지는 기분이 들어 눈을 피한다. 잠시의 침묵 후에 둘은 잔을 비운다.

“난 좀 그래.”

먼저 정적을 깨며 말을 시작한 친구.

“이제 와서 이런 말 하는 게 이상하지만, 아무리 그래도...”

“얼마 전에 엄마 손톱을 깎아줬어.”

서영의 말을 끊으며 인하가 말을 이었다.

“매번 깎아주던 손톱인데 어제 본 엄마 손톱은 유독 많이 길어졌더라. 깎는데 좀 애먹었어.”

손톱 깎는 시늉을 하는 인하.

“이렇게 몇 번 하면 금방 끝나는 거였는데 말이야.”

잔을 채우고, 서영의 잔을 채워주는 인하.

“그리고 손이 많이 깨끗해졌더라. 부드럽고. 좀 거칠었는데. 일한지 오래돼서 그런가. 하하.”

다시 둘은 잔을 비운다.

“나는 그냥 네가 걱정돼서.”

인하는 밖을 바라본다. 반짝이는 네온사인과 앞만 바라보며 가는 사람들. 수없이 빛을 바꾸는 신호등. 신호를 기다리는 자동차들과 조금 올려보니 보이는 붉은 십자가.

“그러고 보니 세상엔 빨간색이 더 많은 거 같네.”

“뭔 개소리야.”

“그냥 그렇다고. 근데 어쩌면 엄마는 수제비를 싫어하지 않았을까?”

“응?”

“아니, 생각해보니까 가난해서 수제비만 먹었던 건 아닐까. 그땐 진짜 맹물에 고추장만 풀고 먹었거든. 맞는 거 같아. 질렸을 거야. 엄마도 사람인데.”

서영은 인하의 말을 들으며 고개를 끄덕인다.

“그러니까 인마. 잘 생각해보라고. 후회하지 않게.”

“그래, 술이나 더 먹자.”

인하와 서영은 계속해서 잔을 나눈다. 안개비로 번지는 달빛이 밤거리를 비추고 있다.

오랜만에 마신 술에 몸이 비틀거린다. 세상이 어지러울 때, 다리에 힘을 준다. 찰박찰박 발목에 튀는 차가운 물이 정신을 차리게 한다. 술기운 때문인지 평소 무겁게 느껴지던 길이 가볍게 느껴진다. 집에 들어가면 바로 자야지. 겨우겨우 집 앞에 도착해서 문을 연다. 평소 문을 열면 인하를 빨아들이던 적막한 기운이 느껴지지 않는다. 어딘가 어색한 집안 공기에 주변을 살피는 인하. 그러다 눈에 띈 식탁. 식탁에는 음식 덮개가 놓여있다. 의아한 마음에 다가가 보니 덮개 밑에는 소박한 밥 한 공기와 된장찌개, 총각김치와 계란후라이와 쪽지가 한 장 있다.

-오랜만에 요리하는 거 같네. 반찬 몇 개 했어. 밥이랑 먹어.-

소박한 한 상 옆에는 물 한 잔과 알약 한 알, 설탕이 같이 놓여있다. 인하는 음식 덮개를 치우고 수저를 든다. 천천히 한 숟갈 한 숟갈 입에 넣는다. 음미하듯이 아주 천천히 씹고, 찌개 한 숟가락 후후 불어먹는다. 계란 흰자를 살짝 찢어서 밥과 함께 먹고 총각김치 한 입 베어 문다. 목이 멜 때는 물을 마시며 음식을 쓸어내린다. 잠시간의 식사를 마치고 인하는 엄마를 보러 안방으로 간다. 엄마는 가만히 누워 잠들어 있다. 이제 남은 건 한 알. 옆에 앉아서 엄마의 손을 잡는 인하. 죽음이 바로 앞에 와있지만 꼭 잡은 손은 따뜻하다. 부드러운 엄마의 손을 이끌어 자신의 얼굴에 대본다.

"왜, 왜 밥해줬어."

엄마의 손을 자신의 얼굴에 비비며 숨죽이는 인하.

"맛있더라."

인하는 오랜만에 엄마 옆에서 잠들었다.

드디어 기다리던 마지막 날. 인하는 마지막 한 알을 손에 쥐고 엄마의 앞에 앉는다.

"엄마, 이거. 이게 마지막인데..."

가슴이 저리는 인하. 약을 거두고 엄마의 외투를 챙긴다.

"그 전에 우리 오랜만에 산책이라도 갈까? 날씨도 개었는데."

얼마만에 엄마와 둘이서 나오는 산책일까. 생각해보면 어린 시절 외에는 없는 거 같다. 그때는 엄마랑 자주 나왔던 길이었다. 느린 걸음 걸음마다 작은 꽃이 추는 춤과 볼살을 어루만지며 지나가는 바람. 시원한 소리를 내주던 나뭇잎. 그 사이사이로 사금같이 내려오던 햇살. 모두 엄마가 같이 있어서 느꼈던 소중한 경험이다. 그리고 언제부터인지 그것들은 자연스럽게 멀어졌다. 학생 시절엔 학생이라서, 대학 시절엔 취업 준비하면서 시간을 놓쳤고, 취업한 지 얼마 안 돼서 엄마는 치매에 걸렸다. 엄마는 분명히 외로웠을 거다. 하교 후에, 퇴근 후에 보면 항상 어두운 방에서 텔레비전 불빛만을 의지하며 누워있던 엄마는 외로웠을 거다.

"엄마, 나 엄마 때문에 진짜 힘들었다? 음... 가능만 하다면 어디 버리고 도망가고 싶을 만큼."

인하는 엄마 손을 꼭 잡는다. 햇살에 반짝이는 빗방울이 보석처럼 빛난다.

"근데 세상은 그러면 안되잖아. 아니, 안됐었잖아. 그런데 요즘엔 그게 또 되는 세상이야. 몰랐지?"

인하는 조심스럽게 말을 건넨다.

"그중에 하나도 나였어."

인하는 마지막 한 알을 꺼낸다. 그리고 엄마에게 보여준다.

"이거 먹으면 엄마 편해질 수 있어. 그리고 나도 똑같이 편해질 수 있고. 엄마도 그걸 원하지?"

엄마는 알약을 바라본다.

"영양제!"

엄마는 영양제를 달라는 듯이 손을 모아 내민다. 인하는 피식 웃는다.

"왜 또 마지막에는 말을 들을라 그래?"

인하는 약을 엄마의 눈앞에서 치운다.

"엄마, 난 나쁜 자식이라서 엄마 말 안 들을 거야."

인하는 마지막 30번째 약을 삼킨다. 지난 시간 동안 쌓였던 답답함이 이 한 알로 확 뚫리는 느낌이다.

"진짜 밥만 안 해줬어도. 수제비도 사실은 싫었던 거지? 옛날부터. 뭐, 맨날 그것만 먹었으니까."

비 온 다음 날 슬그머니 올라오는 기분 좋은 물냄새가 난다. 바람도 적당히 불고 하늘도 청명하다. 그 어떤 날보다 상쾌한 날씨다.

"오늘 날씨 진짜 좋다! 엄마, 저기 좀 더 걷자!"

인하는 엄마 손을 꼭 붙잡고 나란히 걷는다. 기분 좋은 바람이 두 사람을 감싸며 지나간다.

틈새 빛

함성일

함성일

매일 아침 가방을 메고 지하철 4호선에 올라탑니다.
존재하지만 눈에 보이지 않는것에 대해 관심이 있습니다.
오늘도 머릿속에 존재하는 세상의 크기를 넓혀가고 있습니다.
한 달에 두어번, 술과 음악으로 감정의 허기짐을 채웁니다.

prologue

"2024년 3월 24일 일요일"

봄 냄새가 난다.

누군가는 봄의 시작을 휴대폰 바탕화면에 있는 날씨 앱의 숫자로 알아차리고, 또 누군가는 길거리에 사람들의 가벼워진 옷차림 새로 알아차리고, 슬픈 얘기지만 누군가는 미세먼지로 뒤덮인 희뿌연 하늘을 보고 봄이 왔음을 알아차린다. 나는 봄의 시작을 코 끝을 스치는 바람의 냄새로 알아 차린다. 겨울 바람은 얼음이나 눈을 담고 있어서 물의 청량함과 고요함이 느껴지고 봄 바람은 흙 속에서 피어올라 발산하는 새싹의 싱그러운 향기가 느껴진다. 어쨌든 겨울과 봄은 냄새부터 다르다.

봄이 되면 산책을 한다. 정확히 말하면 봄이 나에게 집에만 있지 말고 밖에 나가서 자기를 맞이 해달라고 속삭인다. 말랑한 바람과 바삭한 햇살을 받으며 동네 옛길을 걷는다. 내가 좋아하는 빵집을 지나 세탁소와 방앗간 그리고 과일가게 같은 옛 상점 들이 일렬로 늘어선 풍경은 마치 시상식의 포토라인과 같고, 그 사이로 난 울퉁불퉁한 보도블록 위를 레드카펫을 걷듯 천천히 걷는다. 올해도 여지 없이 세탁소와 방앗간 사이 오래된 벽 틈 사이로 노오란 풀꽃이 올라와 있다. 볼 때 마다 놀랍다. 어떻게 저렇게 여리고 작은 몸집으로 단단한 땅을 뚫고 세상에 나왔을까? 그리고 어떻게 기가 막히게 찾았을까? 삭막한 콘크리트 사이에서 자기 얼굴을 내밀 수 있는 그 틈을.

[틈]

1.명사 : 벌어져 사이가 난 자리

2.명사 : 모여 있는 사람의 속

3.의존명사 : 어떤 일을 하다가 생각 따위를 다른 데로 돌릴 수 있는 시간적인 여유

세상과 나 사이에는 보이지 않는 벽이 있습니다. 그런데 그 벽은 그리 단단하지 않아서 작은 금 하나만 찾는다면 그 사이로 쉽게 구멍이나 틈을 만들 수 있습니다.

그 작은 균열을 찾기 위해 누구는 모임에 나가 사람들을 만나기도 하고 또 누구는 SNS에 일상을 공유하기도 하며 또 누군가는 글이나 노래를 지어 자신의 생각과 감정을 나누기도 합니다.

이 글은 세상과 나를 연결해주는 틈, 그 틈을 찾는 여정을 담은 저의 이야기 입니다. '틈'이라는 단어가 가진 뜻을 통해 세상과 나 사이의 '벽'을 이야기하고 싶었고, '벽'이라는 것을 통해 세상을 향해 나를 외칠 수 있는 '틈'을 말하고 싶었습니다. 영원히 벌어지지 않을 것만 같은 세상과 나 사이에 틈, 부디 그 틈을 찾아서 여러분 각자가 가진 향기와 빛을 세상에 내뿜을 수 있기를 바랍니다. 온기 하나 없는 콘크리트 벽 사이, 틈을 찾아 핀 세탁소와 방앗간 사이 노오란 풀꽃처럼.

목차

스몰토크 : 벌어져 사이가 난 자리

우리는 모두 타인에게 중요한 사람이 되고 싶은 마음과 인정 받고 싶어하는 욕구를 가지고 있습니다. 그러기 위해 우리는 매일 사람들을 만나고 그들과 협력하기도, 때로는 그들과 대립하기도 하며 살아갑니다. 숨 쉬듯 반복되는 보통의 일상처럼 보이지만 사실 매번 겪을 때마다 어려운 것이 타인과의 관계를 잘 시작하고 잘 유지하는 일 입니다. 우리는 사람들을 만날 때 어떤 말부터 꺼내야 해야 할 지 모르는 순간들을 자주 마주합니다. 특히 누군가를 처음 만나는 낯선 자리에서는 더욱 그렇습니다. 경험을 한번 떠올려 보세요. 약속 장소에 늦지 않게 도착해서 수줍은 노크를 하고, 조심스럽게 문을 열고, 먼저 도착해 있는 사람들의 밀물 같은 시선 속을 헤엄쳐 가로지르며 옆 자리가 비어 있는 의자를 찾아 멀찌감치 떨어져 앉습니다. 혹시나 앞사람 눈이라도 마주칠 수 있으니 시선은 전방 45도로 유지해야 합니다. 몸을 움직일 때마다 새어 나오는 옷의 바스락거림은 오늘 따라 유난히 크게 들리고 무릎 위에 올려진 손가락은 딱히 할 일은 없지만 분주합니다.

저는 내향인에 가까운 사람이지만 여러 사람이 모인 자리에서는 긴 시간 흐르는 정적을 견디기 힘들어 먼저 말을 꺼낼 때가 많습니다. 누군가 나서서 그 서늘한 적막함을 깨주지 않는다면 조금 부끄럽더라도 내가 먼저 나서서 이야기를 꺼내는 것이 더 마음 편하기 때문입니다. 그리고 그렇게 해야 그들 '틈' 안으로 들어갈 수 있는 여지를 살필 여유도 생기니까요.

그럼 어떤 이야기들을 하는 게 좋을까요? 이야기의 소재에 제한을 두는 것은 좋지 않지만 소재 선택의 기준은 있어야 한다고 생각합니다. 그 기준이란 것에 부합하려면 이야깃거리는 가급적 우리 삶에 맞닿아 있어야 하고 보편적으로 누구나 알고 있는 것이어야 하며 사람들 눈에 볼 수 있는 것이어야 합니다. 저는 주로 의식주에 대한 이야기를 하는 편인데 그렇다고 해서 반드시 옷(의), 밥(식), 집(주)에 대한 이야기를 하지는 않습니다. 대화는 살을 붙여가는 재미가 있어야 하니까요. 그럼 제가 생각하는 스몰토크의 '소재'에 대해서 잠깐 얘기해 보겠습니다.

의(衣)는 단순히 옷을 의미 하지 않습니다. 몸에 지닐 수 있는(wearable) 모든 것들로 그 영역을 확장할 수 있습니다. 최근 애플에서 출시한 비전 프로(Vision Pro)를 예로 들어 보겠습니다. 비전 프로는 그나마 우리에게 친숙했던 VR, AR과는 또 다른 방식으로 세상을 보여줍니다. 공간 컴퓨팅이라는 기술을 통해 이전에는 불가능했던 방식으로 세상과 나를 연결해줍니다. 내 시선을 따라 공간을 보여주고 손 끝 하나의 움직임으로 가상공간을 열어줍니다. 주방의 냄비 위에 타이머를 표시해 줄 수도 있고, 복잡하고 어려운 기기 조작 방법이나 피트니스에서 운동기구의 메뉴얼을 보여줄 수도 있습니다.

그럼 비전 프로라는 소재를 꺼내 들면 이후에 어떤 이야기들이 오고 갈까요? 각자가 가진 세상을 이해하고 바라보는 방법에 대해서 이야기를 할 수도 있고 스크린 중독이나 디지털 의존으로 인한 인간 세상의 고립에 대한 이야기를 할 수도 있습니다. 우리는 모두 인간이기 때문에 누구나 삶에 대해서 고민하고 세상과의 관계를 원합니다. 비전프로를 통해서 이렇게 삶에 대한 철학이나 태도까지 나눌 수 있는 대화로 이어질 수 있습니다. 참, 저는 비전 프로를 처음 보고 이런 생각을 했습니다. "아! 언젠가 인류는 눈으로 세상을 바라 보지 않고 아니라 디지털 디바이스를 통해서 세상을 보겠구나!"라고 말이죠.

이번엔 식(食)에 대한 이야기를 해보겠습니다. 식(食)도 음식의 맛이나 풍미 대한 이야기를 넘어 그 음식의 유래와 역사 혹은 그 음식을 즐기는 여러 가지 방법 대한 이야기를 할 수 있습니다. 제가 좋아하는 밴드 중에 오아시스(Oasis)라는 밴드가 있습니다. 영국에서는 비틀즈 이후 최고의 밴드라고 평가 받는 밴드 입니다. 이런 세계적인 톱스타들은 보통 투어 콘서트를 할 때 공연에 필요한 요구사항들을 주최측에 적어 보내는데 이를 라이더(rider)라고 합니다. 이 라이더는 대부분 수백 페이지가 될 정도로 구체적인 요구사항들을 담고 있는데 예를 들면, 레전드 팝스타 폴 메카트니의 경우 대기실의 벽지는 밝은 회색이어야 하고 소파는 가죽이 아니어야 하며 대기실 한 켠에는 대나무와 백합, 데이지와 같은 화분을 갖다 놓아야 한다고 요구했습니다. 비욘세의 경우에는 드레싱 룸의 온도를 25.5도로 맞춰야 하고 장미 향초가 켜져 있어야 하며 음료는 코카콜라가 아닌 펩시콜라로 준비해 달라고 요구할 만큼 구체적인 요구사항들을 많이 담고 있습니다. 그렇다면 세계 최고의 밴드 오아시스의 라이더는 어땠을까요? 오아시스가 2009

년 웸블리 스타디움 공연을 앞두고 주최측에 보낸 라이더는 바로 단 한 줄 이었다고 합니다.

"Enough booze to sink a small battleship." (작은 전투함이 가라앉을 정도의 충분한 술)

보통은 술을 마실 수 있는 공간에서는 음악이 나오는 경우가 많기 때문에 이렇게 친숙한 소재들을 붙잡아 얘기하는 것도 재미있는 대화로 이어주는 스몰토크 방법 중 하나이지 않을까 합니다. 이렇듯 의식주는 우리가 살아가는데 닿아 있는 삶의 요소들과 연결시켜 얘기하기 쉽습니다. 좋은 소재는 상대가 길게 얘기할 수 있도록 문을 열어 주는 역할을 하고 좋은 대화는 상대 대답이 커지게 하여 끊어지지 않게 하는 힘을 가집니다.

세상 모든 것에는 저마다 고유한 주파수라는 것을 갖고 있습니다. 상대방가 가진 주파수가 대략 몇 MHz쯤 되는지 알 수 없기에 내가 낼 수 있는 가장 무난한 대역의 주파수를 내어 봅니다. 이렇게 서로 맞는 주파수의 대역을 찾는 과정이 스몰토크의 시작입니다. 마치 아날로그 라디오의 다이얼을 돌려가며 주파수를 맞추듯 처음에는 아무런 응답도 들을 수 없고, 지지직 거리는 잡음도 섞여서 들리겠지만 분명 어느 순간 선명하게 흘러나오는 음악 소리에 쾌감과 희열을 느끼게 될 겁니다.

마케팅 법칙 중에 "가슴을 치면 머리는 따라온다."라는 말이 있습니다. 디지털 기술이 매일 다르게 우리 삶 속에 빈 틈 없이 깊이 파고 들어와 있지만 결국 기술은 몸과 머리를 움직이게 할 수는 있어도 사람의 마음까지 움직일 수는 없습니다. 마음을 움직이는 것은 결국 사람이고 그 사람이 가진 이야기입니다. 좋은 이야기를 통해 움직인 마음은 상대가 말하고 싶은 것을 먼저 묻는 공감을 갖게 하고 그 공감은 나와 사람들을 좋은 관계로 이어줍니다. 여러분 모두 공감을 통해 사람들 '틈'에 들어 갈 기회를 더 많이 마주 하길 바랍니다. 오늘부터라도 주변을 유심히 둘러 보세요. 생각보다 내가 평소에 발견하지 못한 재미있고 흥미로운 이야깃거리를 발견 하실 겁니다. 옆에 앉아 있는 친구의 얼굴에서, 책상 위에 놓여진 달력에서, 창 밖을 통해 바라본 풍경에서, 아니면 내가 존재하는 지금의 공간에서. 이런 것들이 여러분을 세상 틈 속에 잘 스며들 수 있게 도와줄 좋은 재료들 입니다.

중력과 마찰력 : 모여있는 사람의 속

"언젠가 네가 한 말을 난 종종 떠올렸어.
영원히 천천히 굴러가는 공을 생각했어.
그 꾸준함을 상상했어. 이상하게도 눈을 감고
그 모습을 그려보면 쓸쓸해지더라.
데굴데굴 굴러가는 그 모습이 어쩐지 외로워 보여서.

그래도 우린 중력과 마찰력이 있는 세상에 살고 있어서 다행이구나.
가다가도 멈출 수 있고, 멈췄다가도 다시 갈 수 있는 거지.
영원할 수는 없겠지만 이게 더 나은 것 같아. 이렇게 사는 게."
- 최은영, 내게 무해한 사람

우주의 섭리와 우리의 삶은 비슷한 점이 많습니다. 태초에 칠흑과 같은 어둠이 존재했고, 알 수 없는 작은 점에서 시작한 폭발은 빛과 에너지를 만들어 수많은 별들을 낳았습니다. 우리 모두도 어머니의 뱃속 어느 막연한 점에서 시작하여 280일 동안의 합성과 분열 과정을 거쳐 세상의 빛으로 태어났습니다 크기와 모양, 밝기와 온도, 무게와 성질이 다른 수 많은 별들이 서로 성단과 은하를 이루고 생성과 소멸을 반복하듯 인간 세상도 외모와 성격, 성별과 나이, 생각과 습관이 다른 수많은 사람들이 모여 삶과 죽음을 반복합니다.

자연 현상에는 여러 가지 물리 법칙이 존재하는데 그 중에 우리가 가장 쉽게 떠올릴 수 있는 것은 질량이 있는 물체를 지구가 끌어당기는 힘인 중력, 그리고 서로 다른 물체가 접촉하여 생기는 마찰력입니다. 나를 한 곳에 머무르게 하려는 힘은 중력이고 내가 나아가려는 운동을 방해하는 힘은 마찰력과 같습니다. 우리는 삶에서 이런 중력과 마찰력 사이 적당한 힘의 균형을 맞추어 가며 매일을 살아가고 있습니다.

사람들은 흔히 '나는 나야.'라는 말을 하곤 합니다. 과연 이 말이 어떻게 생겨났을까 생각해본 적이 있습니다. 사실 우리 삶에서 중요한 것은 눈에 보이는 현상이나 실체가 있는 물질이 아니라 각자가 가진 가치와 철학, 사랑과 치유, 자유와 희망 같은 눈에 보이지 않는 것일 때가 훨씬 더 많습니다. 경험의 반복과 감정의 축적으로 응집된 마음은 타인의 혐오와 변덕스러운 우연에도 흔들리지 않고 중심을 잡을 수 있게 하는 중력과 같은 힘으로 작용하기 때문에 이런 힘을 표현하기 위해 생겨난 말이 아닐까라는 생각을 해봤습니다.

F = ma

뉴턴의 제2 운동법칙 입니다. F는 힘이고 m은 질량, a는 가속도를 의미합니다.

어떤 현상이 수학적 공식으로 기술되어 있다는 것은 미래에 대한 예측이 가능하다는 의미이기도 한데 이렇게 단 네 개의 문자로 세상에 존재하는 모든 움직임을 설명 할 수 있기 때문에 과학자들은 이 뉴턴의 제2법칙을 '우주의 시'라고 부르기도 합니다. 문득 이 우주의 시를 내 삶에 적용해 보면 내 삶의 미래도 예측이 가능할까라는 생각을 해봤습니다. 내 삶의 힘을 F, 내가 가진 생각의 크기를 m, 나를 변화시키는 자극을 a라고 한다면 생각의 크기(질량 m)와 변화의 자극(가속도 a)을 키울 수록 내 삶은 더 빛나고 행복해질까라는 질문에 도달합니다. 여기서 생각의 크기는 세계관이고 변화의 자극은 동기부여 입니다. 저는 세계관이라는 단어를 참 좋아합니다. 세상은 자기 머릿속에 딱 떠올린 만큼의 크기로 존재한다는 말이 있듯, 늘 제가 알지 못하는 세상에 대한 호기심, 그리고 그 세상에 대한 동경과 경외감을 갖고 미지의 세상을 떠올립니다. 끝을 알 수는 없지만 아마 세상의 크기가 100이라고 가정한다면, 내가 알고 있는 세상의 크기는 1, 모르는 세상의 크기는 9, 내가 모르는지도 모르는 세상의 크기는 90정도는 될 겁니다. 이 90이란 미지의 영역을 매일 줄여나가는 것이 세계관을 넓히는 일이 아닐까 생각합니다. 매일 만나는 가족과 연인, 친구와 동료, 나와 비슷한 생각과 성향을 가진 사람들을 만나는 것도 물론 중요하지만 때로는 나와 전혀 다른 생각을 가진 사람, 내가 속하지 않은 지역이나 단체에 있는 사람, 내가 이익을 얻음으로써 손해를 입을 수 있는 사람, 나이와 취미, 성별과 배경, 학벌과 직업이 전혀 다른 사람들을 만나는 것이 세계관을 넓히는데 굉장히 한 도움을 줄 겁니다. 무언가를 안다는 것은 차이를 알고 배경을 알고 맥락을 알아야 하는 것인데 그 차이를 모르고 지나친다면 분명 나중에 어떤 식으로든 곤란한 상황에 빠지게 될 가능성이 큽니다. 차이와 배경과 맥락을 알아야 생각의 균형을 맞출 수 있고 삶의 무게 중심을 잡을 수 있습니다. 자기 자신을 불편한 상황과 자리에 계속 등장시켜 보세요. 아마 새로운 세상이 보이면서 엄청난 동기부여의 힘을 얻으실 겁니다.

우리는 누구나 다른 사람과의 관계를 유지하며 살아야 하기 때문에 그 관계 속에서 생기는 갈등(마찰력)은 필연적으로 따라붙게 됩니다. 그래서 다른 사람들과 인간 관계를 맺고 그 사이에서 일어나는 갈등을 해결하는 방법을 아는 것은 굉장히 중요합니다. 사실 살면서 갈등으로 인해 힘들어지는 이유와 상황에 대해 집중해보면 갈등 자체를 지나치게 크게 받아들이고, 정의와 불의에 대한 프레임 사이에서 논쟁하는 경우가 많습니다. 사실 개인과의 갈등은 얼마든지 해결하거나 회피할 수 있는 문제입니다. 감정이 올라올 때는 생각이나 말에 두 세 번 정도의 쉼을 갖는 것이 좋습니다. 기다려 보고 시간을 두면 해결하기가 수월합니다. 사실 해결할 것도 없는 경우도 많습니다. 그저 필요한 것의 전부는 시간과 공간의 여백입니다. 생각을 굴리다 보면 감정에 집착하게 되고 그 집착은 상황을 복잡하게 만들고 복잡해진 상황은 마음속에 허구를 만들어내어 상황을 혼란스럽게 만듭니다. 사실 갈등은 해결하는 것보다 키우지 않는 것이 훨씬 중요합니다. 이렇다 저렇다 갈등을 구체화시키는 것은 온전히 내 머릿속에 있는 생각뿐 입니다. 생각이 많으면 부정적인 결론에 도달 합니다. 생각을 구체화 하지 않으면 마찰은 줄일 수 있습니다. 머릿속과 마음속에 시간과 공백이 들어올 수 틈을 만들어 보세요. 그러면 대부분의 마찰은 줄이거나 없앨 수 있을 겁니다.

우리 삶은 자연에 존재하는 과학 이론을 따르는 것처럼 보이지만 전혀 과학적이지는 않습니다. 과학 이론은 실재 존재하는 것들에만 주목하고 집중하지만 삶에서는 실재 존재하지 않는 것을 더 중요하게 여기기 때문입니다. '나'라는 존재는 물리적 공간에 존재하지만 연인에 대한 '사랑', 내가 추구하는 가치는 과학적으로 존재하지 않습니다. 삶에서는 관념과 철학, 국가와 권력, 믿음과 희망 등 눈에 보이지 않는 이런 상상의 산물들이 눈에 보이는 것들 보다 훨씬 더 중요하기 때문에 사람들 틈에서 살아가는 것이 쉽지 않은 이유가 아닐까 생각합니다. 정말 중요한 것은 눈에 보이지 않습니다. 보이지 않는다고 느껴지지 않는 것은 아닙니다. 보이지 않는 것에 조금 더 집중해 보세요. 그리고 느껴보세요. 모든 것이 수월해 질 겁니다.

on & off : 다른 데로 돌릴 수 있는 시간적 여유

저는 금융 회사에서 서버 개발자로 일하고 있습니다.

업계마다 약간의 차이는 있겠지만 개발자의 하루 일과 중 가장 많은 부분을 차지하는 건 다름 아닌 회의입니다. 사실 코딩은 개발자의 부수적인 일에 속합니다. 제 경우엔 고객이 직접 사용하는 금융 서비스를 개발하는 일을 하고 있기 때문에 기획 팀, 마케팅 팀, 법률 팀 등과 밀접하게 소통하며 일 합니다. '내 업무의 7할은 회의'라는 말을 하고 다닐 정도로 정말 매일의 반복 속에 회의의 연속입니다. 하루에 서너 개가 넘는 회의를 마치고 나면 조각난 생각들이 제 자리를 찾지 못한 채 머릿속 여기저기에 널브러져 있습니다. 회의를 마친 뒤 제 머릿속을 들여다 본다면 마치 건조대에 널려진 빨래를 대충 걷어 거실 바닥에 집어 던져 쌓아놓은 모습과 비슷할 겁니다. 이런 조각들을 다시 주워담아 보기 좋게 분류하고 포장하면 어느 정도 눈으로 볼 수 있는 형태의 순서도 같은 것이 머릿속에 그려 지는데 이 때부터 흔히 말하는 개발자들의 코딩이 시작됩니다. 코딩이라는 것도 사실 컴퓨터가 이해할 수 있는 언어로 컴퓨터와 대화하는 것이기 때문에 그 상대가 사람에서 컴퓨터로 바뀌었을 뿐 여전히 누군가와 이야기하는 것에는 변함이 없습니다. 단지 회의는 누군가가 말로써 나에게 응답을 해주는 것이고 코딩은 컴퓨터가 결과로써 나에게 응답을 해주는 차이만 있을 뿐입니다.

조각난 생각들을 정리하기 위해 종이 위에 끄적거리던 버릇이 어느덧 글쓰기라는 취미로 이어져 지금 일요일 밤11시가 넘은 시간임에도 세상의 빛을 보게 될지 아니면 바탕화면 폴더 안 어디에 묻혀질지 모를 이 글을 썼다 지웠다를 반복하고 있습니다. 어쨌든 대개 개발자들은 글을 쓰는 것을 좋아합니다. 실제로 코딩이란 것을 해보면 글을 쓰는 행위와 비슷한 점이 상당히 많습니다. 글쓰기 특강이란 책을 보면 글쓰기는 문학적 글쓰기와 논리적 글쓰기의 영역을 구분하였는데 문학적인 글쓰기는 타고난 재능이 중요한 예술이지만 논리적 글쓰기는 훈련으로 향상할 수 있는 기능이라고 했습니다. 어떻게 보면 코딩은 극단적인 형태의 논리적 글쓰기에 해당하는 것 같습니다.

글을 쓰려면 주제를 정하고 이를 표현할 방법을 생각합니다. 표현할 주제를 정했다면 이야기의 서론, 본론, 결론에 어떤 내용을 담을지 구상하고 표현할 내용에 구체적인 묘사를 덧붙입니다. 말하고 싶은 주제가 설득력 있게 표현 되었는지 확인하고 전체적인 문장의 흐름은 어색하지 않은지, 그리고 맞춤법과 띄어쓰기에는 문제가 없는지를 확인하고 마무리 짓습니다.

코딩도 별반 다르지 않습니다. 무언가를 해결하려는 사항을 수집해서 문제를 도출해 냅니다. 그 문제를 해결할 방법들을 연구하고 그 중 가장 효율적인 방법을 선택한 뒤 문제가 잘 해결되는지를 코드로 작성하고 확인을 반복합니다. 최초에 계획한 문제가 모두 해결 되었는지 검증하고 문제가 없다면 작성된 코드를 디플로이 합니다.

코딩은 저에게 축구 경기를 뛴 것과 같은 하루를 보낸 뒤 찾아오는 음소거 모드와 같은 것이었습니다. 카카오톡과 이메일, 업무 메신저와 전화로 이어지는 알람 폭격, 그리고 사람들과의 반복되는 회의로 인해 지친 두 귀와 마음을 달래 주는 시간이었습니다. 때로는 상사의 권위, 동료들의 평가, 사람들의 무례와 충고가 두려워 그 시간 뒤에 숨은 적도 많았습니다. 그래도 컴퓨터는 최소한 어떤 감정과 의도를 가지고 나에게 응답하지 않았기 때문에 컴퓨터와 대화하는 시간이 뭔가 치유와 위로의 시간처럼 느껴졌습니다.

일을 하다 보면 off의 반드시 시간이 필요합니다. 의미적으로 보면 off는 쉼 또는 정지의 상태를 말하는데 쉼은 몸과 마음을 치유하는 과정입니다. 단순히 가만히 있는 것 이상의 의미를 가지고 있습니다. Off의 시간은 과거의 경험을 되돌아 보게 하고, 현재를 깊이 고민하며, 미래에 대한 방향을 생각하게 만듭니다. 진짜 내면의 소리는 off 상태 일때 만 들을 수 있습니다. 개발자들이 혼자 있을 때 혹은 담배를 피우다가 종종 문제를 해결하기도 하는데 이런 순간들이 off 상태에서 나옵니다. off는 삶에 균형과 안정감을 줍니다. 쉼을 통해서 나 자신을 존중하게 되고 더 나은 사람이 되게 합니다. 여러분 모두 꼭 자기만의 off 스위치를 만들었으면 좋겠습니다.

Connecting the dots. 스티브 잡스가 스탠포드대학교의 졸업식 축사에서 한 말입니다.

저는 우리가 사는 매일 매일이 인생에 점을 찍는 것이라고 생각합니다. 그렇게 쉬지 않고 점을 찍다 보면 점이 모여서 선을 이루고 선이 모여 면을 만들게 됩니다. 누군가는 아직 이어지지 않은 점을 보며 3차원의 도형을 생각할 수도 있겠죠.

하루 하루를 사는 것이 어쩌면 점의 연결이고 새로운 누군가를 만난다는 것이 점의 연결입니다. 그 누구도 미래의 모습을 기대하고 점을 연결하지는 못합니다. 저의 off였던 글쓰기가 이렇게 여러분들과 저를 이어줄 on이 된 것처럼 말이죠.

epilogue

군중 속 '틈'에 있는 내 모습을 돌이켜 보면 어색함을 느낄 때가 있습니다. 그 모습이 타인들과 너무 다르다고 느꼈기 때문인지, 내가 그들과 크게 다르지 않아서인지 혹은 둘 다 인지는 모르겠습니다. 우리는 분명 모두 비슷하고 모두 다 다릅니다. 마치 밤하늘에 떠 있는 별이 실제로는 다 다르지만 우리가 바라본 모습은 다 비슷해 보이는 것과 같은 이유가 아닐까라는 생각이 들었습니다.

별은 실제로는 둥근 구의 형태이고 각기 다른 색깔을 가졌지만 사람들은 별을 그릴 때 몇 개의 뾰족한 모서리가 있는 모양으로만 그립니다. 왜 그렇게 그렸을까를 생각해 보면 빛이 있어서 입니다. 빛이 우리 눈에 그렇게 보이기 때문입니다.

모든 별은 자기 만의 색깔과 빛을 가지고 있습니다. 여러분이 가진 색깔과 빛이 세상 속 누군가에게 찬란하게 빛나는 별이 되었으면 좋겠습니다.

서툰 어른

시옷

시옷

23살, 대학교 3학년. 사회초년생으로 나아갈 나이에 막막한 갈림길에 섰다. 모든 게 처음이라 서투른데, 선택해야 할 것은 왜이리 많은가. 여전히 노는 게 제일 좋다. 그래도 나름 멋진 어른으로 나아가기 위해 오늘도 물음표를 달고 나아간다.

들어가기

서울에 혼자 올라와 살게 된 지, 이제 3년 차다. 다르게 말하자면 내가 성인이 된 지 3년이 지났다는 말이기도 하다. 가끔 고향에 내려가거나 엄마, 아빠와 전화하다 보면 이런 말을 종종 듣게 된다.

"우리 공주, 이제 어른이니까~"

그러면 나는 약간의 투덜거림과 애교를 곁들인 콧소리로, 엄마와 아빠의 말씀을 끊고 말한다.

"아니! 나 아직 애야, 엄마랑 아빠(의) 애기야!"

참 이상하다. 서울에서 혼자 살려고 했던 그날까지만 해도 나는 어른이니까 걱정하지 않아도 된다고, 이제 아기 아니라고 괜찮다고 그랬는데 말이다. 지금은 엄마와 아빠에게 아기 취급을 받고 싶어 한다니, 불과 3년도 채 되지 않아서 마음이 이렇게 바뀌다니, 아이러니하다.

어린이와 어른.
문자로는 모음 'ㅣ'와 'ㅡ', 하나 차이.
나이로는 1살, 시간으로는 1년 아니 겨우 하루 정도의 차이.

고작 한 끗 차이인데, 왜 내가 느끼는 건 그렇지 않을까. 대학교 3학년인 나는 지금 어른인 걸까, 아니면 어른이 되어가는 중인 걸까.

나는 아직도 밤늦게 잤다가 알람 소리를 못 듣고 수업에 늦기도 하고, 급하게 준비하다가 문에 부딪히기도, 뛰어가다가 넘어지기도 하는 23살이다. 아직도 나는 사람에게 서툴고, 사랑에 서툴고, 나 자신에게도 서툴러서 상처를 주고받는데 말이다. 나는 아직 어른이 아닌 걸까. 아니면 아직 어른이 아니고 싶은 걸까.

이 글은 그저 내가 어른이 되어가는 길에서 드는 생각을 썼다. 어쩌면 이해가 안 될 수도, 그저 철없는 소리라고 생각이 될지도 모른다. 그렇지만 훗날 내가 다시 이 글을 읽고 참 잘 이겨냈다는 생각하고, 나와 비슷한 고민을 할 그 누군가에게 이 글이 조금이라도 같이 고민해 줄 친구가 되어준다면 좋겠다는 마음으로 써 내려가 본다.

나태주 시인의 시처럼,

글이 된 꽃은 더 오래 지지 않으니까.[1]

원했던 건

강해지고 싶다.

마음이 단단해질 정도로 강해지고 싶다.

최근에 '남은 인생 10년'이라는 일본 영화를 봤다. 영화에서, 주인공이 중학교 시절 썼던 '10년 후 나의 모습'에 대한 쪽지에 적힌 말이다. 문득, 나는 10년 전 바랐던 내 모습은 무엇일까, 나는 내가 원했던 어른으로 컸을까. 그런 생각이 들었다. 그래서 10년 전은 아니지만 5년 전, 고등학교 시절 썼던 일기 속 글들을 읽어갔다. 그러면 내가 원했던 지금의 내 모습이 무엇인지, 내가 원하는 앞으로의 내 모습은 무엇인지 알 수 있을 것 같았다. 지금은 도대체 내가 뭘 원하는지, 무엇을 향해 달려왔는지 모르겠으니까.

1 나태주 시인의 <지지 않는 꽃> 일부 인용

새로운 만남과 이별을 맞이하게 될 텐데,

너무 힘들어하지 않았으면 해.

나중에 보면 이 또한 추억이고 깊은 뜻이 될 테니까.

…(중략)…

항상 솔직하게, 나 자신에게도, 다른 사람에게도.

항상 사랑하자! 웃자! 울자! 단단해지자!

2019.12. 어느 날

참 웃겼다. 내가 원했던 것은 억만장자가 되기나 대기업 취업 같은 것이 아니었다. 그저 나 스스로가 솔직해지고 단단해지는 것이었다. 5년이 지난 나는 지금 솔직한 사람일까, 단단한 사람일까. 어쩌면 새로운 만남과 이별을 5년 전보다 더 못하는 것일지도 모른다. 남을 대하는 것도, 나를 대하는 것도 더욱 망설여지고 두려워질 때가 종종 있다. 나의 말이, 행동이, 나의 솔직함이 혹여나 후회로 이어질까. 그래서 끊임없는 자책 속에서 헤어 나오지 못하게 될까. 항상 솔직하길 바랐던 나는 솔직하게 나를 마주하는 게 두려운 사람이 되어버렸다. 약한 사람이 되어버린 기분이다.

우리는 끊임없이 선택의 갈림길에 빠진다. 예전에는 이 선택의 갈림길도 언젠가는 무디어지는 날이 올 거라 생각했다. 아직 그 언젠가가 아닌 것일까. 나는 이 갈림길을 마주할수록 이전보다 더 망설여질 때가 있다. 이 선택이 이제는 어떤 아픔으로 찾아올지 알기에, 내 최선의 선택이 꼭 최선의 결과로 이어지는 것이 아니라는 것을 알게 돼서 그런 걸까. 오히려 뭣도 모를, 그 어떤 것도 몰랐던 학창 시절의 선택이 더 과감하고 더 만족스럽고 더 나를 위한 선택이었을지도 모른다. 지금은 내가 가지고 있는 것들을 생각하고, 내가 잃을 것들을 생각하고, 내가 얻을 것을 따지게 된다. 5년 전의 나는 내가 계산적인 사람이 될 거라고 생각이나 했을까. 아마 그때의 내가 지금의 나를 본다면 이런 말을 할 것이다.

"왜 이렇게 됐어?"

이건 자기 연민도, 자기혐오도 아니다. 그냥 정말 나는 내가 원하지 않는 방식으로 선택을 하고 있는가에 대한 의문이다. 나의 계산적인 선택이 지금의 나에게 행복을 가져다준다면, 사실 과거의 내가 어떻게 생각하든 무슨 상관이겠는가. 그렇지 않으니 문제다. 상처받는 게 싫어서 계산적으로 선택하지만 결국 나는 내 선택에 스스로 슬퍼지고 있었다. 그저 최선을 다하면 언젠가는 내 노력이 나를 산 정상으로 올려다 줄 것이라는 믿음으로 선택하고 살아가던 나는, 최선을 다하지 않더라도 최고의 효율을 낼 수 있는 방법을 찾고 있으니 말이다.

나는 나만 이런 생각을 하는 줄 알았다. 그렇지만 최근에 고향 친구와 술을 마시며 이야기를 나누면서 확신했다. 이건 나만의 고민이 아니구나. 우리는 왜 '원했던' 대로 살지 못할까. 그렇게 바라던 자유를 가진 어른인데, 내가 하고 싶은 대로 하루를 보낼 수 있는 기회를 가졌는데. 그 기회를 우리는 왜 태우고 있는 걸까. 우리는 왜 이렇게 겁쟁이가 되어버렸을까. 지구를 지키겠다는, 하늘을 나는 히어로가 되겠다는 그 용기는 마치 숨바꼭질하는 듯. 마음속 깊숙이 꼭꼭 숨어버렸다.

나는 사실 용기가 없는 게 아니라, 원하는 게 없는 걸지도 모른다. 대학교 3학년이라는 게, 이제는 취업 준비를 위한 준비를 할 시기라고 한다. 그래서일까. 다들 졸업하고 무엇을 할 건지 그리고 인턴은 언제 할 것인지, 자격증은 무엇을 준비하는지에 대해 이야기를 나누곤 한다. 나는 사실 잘 모르겠다. 내가 무엇을 하고 싶은 것인지, 내가 지금 어디에 심장이 뛰는지 말이다. 나한테 이런 시간이 올지 상상도 하지 않았다. 나는 세부 내용이 바뀌더라도 쭉 하고 싶은 건 있었으니까. 아이돌, 야구 선수, 작가, 천문학자, 액션 배우, 유치원 교사, 광고 기획자, 영화감독 등등. 진짜 이리저리 하고 싶은 게 많았다. 끊임없이 하고 싶은 게 생겨서 도전해 나갔기에 지금 하고 싶은 게 없는 이 상황이 견디기 어려운 것일지도 모른다. 그런데 불안한 건 어쩔 수 없는 것 같다. 원했던 대로 선택해 오고 달려왔지만, 막상 취업 준비를 해야 하는 이 시기에 내가 원하는 건 없으니 말이다. 나는 무엇을 위해 달려 온 것일까, 이런 의문이 가득해져서 밤잠을 설치기도 한다. 심지어 꿈에서도 그러니 더욱 답답한 시기이다. 이 시기가 언제까지 이어질까. 매일 밤 답 없는 질문만 품은 채 눈을 감는다.

하고 싶은 게 있다는 것, 원하는 게 있다는 것. 그럴 수 있다는 게 얼마나 소중한 것인지, 그렇지 않은 상황이 와서야 깨닫게 됐다. 이것도 참 웃기다. 고등학교 시절 친구가 나에게 하고 싶은 게 있는 것이 부럽다고 한 적이 있다. 그게 무슨 의미인지 사실 그때는 이해하지 못했다. 그저 너도 언젠가는 하고 싶은 게 생길 것이니 불안해하지 말라고 해줬을 뿐이다. 근데 지금 나는 저 말을 이해하게 됐으니, 참 웃길 뿐이다. 그리고 내가 해준 말이 어쩌면 너무 가벼운 말이었을지도 모른다는 생각이 든다. 언젠가는 하고 싶은 게 생길까, 하고 싶은 게 없는 지금은 미래가 그려지지 않으니. 그 말이 와 닿지 않는 기분이다. 사람은 본인이 그 상황에 부닥쳐봐야 그 심정을 이해하는 게, 참 간사하다고 해야 할까. 그 친구는 이제 하고 싶은 게 생겼을까, 그럼 나도 하고 싶은 게 언젠가는 생길 수 있는 걸까.

그런 작은 희망을 품은 채, 나는 결국 하루 하루를 헤쳐 나가는 삶을 살아가고 있다. 언젠가는 나도 다시 심장이 뛰는 날이 오길 바라며.

마주하기 싫은

자기 일에 책임을 질 수 있는 사람

어른의 뜻이다. 자기 일에 책임을 질 수 있다…

책임이라는 건 결국 내가 마주하기 싫은 것들을 마주해야 한다는 의미로 다가왔다. 나의 선택과 그 선택이 아무리 사소하더라도, 또는 너무 막대한 것이더라도 그것이 가져오는 결과들을 피하지 않고 마주하는 것. 그것이 책임이 아닐까. 그렇지만 나는 그것들을 마주하기 싫었다. 너무 그 책임이 아플까 두려웠다.

하지만 어른이니까. 이제는 어른이 될 나이라는 것을 마주해야 하니까. 마주하려고 한다. 마주하기 싫어도. 이것도 책임을 지는 것의 일종이라고 생각했다.

앞으로의 선택을 마주하기 이전에, 나는 이전의 일을 마주해야 한다고 생각했다.

내가 마주하기 싫어했던 과거들을.

오빠를 발로 차서 이빨을 깨지게 한 사소한 일부터 사랑하는 가족의 마지막 순간을 함께하지 못했던 그 순간들을.

이제는 마주하려고 한다.

오빠와는 어릴 때 참 많이 다퉜다. 다른 남매들도 그렇겠지만, 왜 오빠는 나를 질투하고 그 질투심으로 괴롭히고 장난치고 그랬던 걸까. 물론 나도 당하기만 하는 성격은 아니어서 오빠도 참 많이 고생했다. 하지만 어릴 때 2살 차이면 힘 차이도 크게 나서 결국 내가 졌었다. 한번은 오빠가 태권도 겨루기를 하자고 했다. 그때 오빠와 나는 태권도 학원에 다니고 있었던 때라 은근히 본격적으로 겨루기를 했다. 오빠가 안 봐준다고 했고, 나도 그럼 안 봐주겠다고 하고 겨루기에 임했다. 그렇게 겨루기를 하다가 나는 태권도에서 배운 뒤돌려차기를 오빠의 얼굴을 향해 했는데, 그 발에 오빠의 이빨이 깨졌었다. 당시에 나는 놀라서 "봐주지 않기로 했잖아"라고 계속 얼버무렸다. 가끔 오빠가 그 일을 꺼내면 나는 계속 책임을 회피했다. 사실 아주 사소한 일인데 말이다.

이 일이 있고 몇 년이 지나 사춘기라는 이유로 오빠와 자연스럽게 멀어졌다. 그래서 오빠에게 미안하다는 말을 전하지 못했다. 이 글을 빌려서 전한다. 오빠, 그때 사과하지 않아서 미안해.

시간이 지나면, 당시에 마주하기에는 겁나고 무서웠던 것들이 아무렇지 않아 지는 것들이 있다. 앞서 말한 오빠와의 에피소드처럼 말이다. 서로 헐뜯으며 싸웠던 친구들도 시간이 지나면 부정적인 감정들이 사그라지고 그 친구들과 함께했던 순간들이 그냥 일련의 기억들로 남게 된다. 하지만 그렇지 않은, 여전히 마주하기 겁나고 무섭고 미안한 것도 있다. 몇 년이 지나도 그 일만을 생각하면 마음을 가누지 못할 정도로 힘든, 그래서 친구들에게도 말하지 못하는 일이 말이다. 나에게는 그런 일이, 사랑하는 삼촌의 마지막 길이었다.

중학교 3학년이었다. 나는 학원에 있었다. 삼촌은 내가 학원에 있을 때 자주 전화를 거셨다. 사실 내가 학원에 있는 시간을 알려드렸으면 됐던 거였는데, 그러지 않았다. 왜 그랬는지는 모르겠다. 그래서 삼촌의 전화를 대충대충 받거나 받지 않았다. 앞으로 어떤 일이 일어날지, 삼촌이 왜 나에게 전화를 걸었는지 모른 채, 나는 삼촌의 전화를 대수롭지 않게 생각했다. 그래서 부재중이 찍혀 있어도 다시 전화를 걸지 않았다. 그게 마지막일 줄 모르고 말이다. 그렇게 마지막 부재중으로부터 일주일이 지나고 나는 아빠와 크게 싸웠다. 이유는 기억이 잘 나지 않을 정도의 사소한 일이었다. 그저 사춘기 딸과 그게 답답한 부모의 다툼이었다. 나는 화가 난 채로 집을 나섰고 친구와 코인 노래방에서 스트레스를 풀고 있었다. 그때였다. 엄마와 아빠에게 전화가 마구 왔다. 나는 혼나기도 싫고 아빠와 화해하고 싶은 마음이 없었다. 그래서 전화를 받지 않았다. 그리고 엄마에게 문자가 왔었다. 삼촌이 많이 다쳐서 지금 병원에 가야 하니 집에 오라고. 나는 그때 집에 갔어야 했다. 하지만 그러지 않았다. 왜 그랬는지는 이제 나에게 핑계이고 책임 회피 같아 쓰지 않고 싶다. 나는 그렇게 삼촌의 마지막을 함께 하지 못했다.

누군가와의 이별이, 그게 죽음이라면. 그 마지막을 함께 할 수 있었는데, 그리고 그 마지막을 막을 수 있었는데, 그러지 못했다. 나는 내가 대수롭지 않게 생각하며 했던 선택을 마주하고 싶지 않았다. 나에게 삼촌은 너무나도 소중한 존재였다. 나의 유년 시절, 행복했던 추억을 함께 만들어 가줬던 나의 벗이자, 보호자이자, 안식처였다. 그렇기에 나는 삼촌의 죽음을 받아들이지 못했다. 여전히 할머니 댁에 있을 것 같았다. 그래서 할머니 댁에 가기도 무서웠다. 삼촌이 없는 것을 보고 싶지 않았으니까. 나는 삼촌이 더는 이 세상에 존재하지 않음을 알면서도 알고 싶지 않았다. 그렇지 않다고 생각하고 싶었다. 그래서 힘이 들 때 삼촌에게 편지를 쓰기도 하고, 꿈에 삼촌이 나오면 그 꿈이 현실이기 바랐다. 그리고 그 꿈에서 깨면 다시 그 꿈속으로 돌아가고 싶어 눈을 감았다. 하지만 이제는 삼촌의 죽음을 받아들이고, 나의 아픔을, 나의 죄책감을 마주할 때이다. 그래야 삼촌도 이 작고 말 참 안 듣던 고집쟁이 조카가 멋진 어른이 되었음을 볼 수 있을 테니.

마주하기 싫었던 나의 아픔과 상처, 그리고 나의 소중한 사람과의 이별을 이렇게 글로 남기며 마주하려 한다. 사실 마주하면서도 잘 마주하고 있는지 확신이 들지 않는다. 어쩌면 앞으로도 쉴 새 없이 마주해야 할지도 모른다.

또 이런 이별은 우리는, 나는, 결국 여러 번 겪을 수밖에 없다. 사람은 결국 죽으니까. 그때도 마주해야 하니까. 마주하기 싫은 것을 마주하려고 하는 것만으로도, 나는 한 층 더 어른이 되어가는 것이라고 생각하고 싶다. 여전히 아프고 슬프고 그립지만, 그만큼 소중했다는 것이니까. 앞으로도 마주할 이별을 후회 없이 마주하기 위해서라도 이 마주하기 싫음을 마주하려고 한다.

많이 사랑했으니까, 사랑한 만큼 마주하려고 한다.

삼촌, 안녕.

무르익다

무르익어 가는 나이

어른이 무엇인가, 누군가가 나에게 묻는다면 나는 무르익어 가는 나이라고 대답할 것 같다. 무르익는다는 한자로 熟고, 이 한자는 중국어로 익숙하다는 의미를 지닌다. 어른은 어쩌면 많은 경험으로 익숙해진 것들 사이에서 살아가면서도, 그 익숙함 사이에서 새로움을 발견하는 나이이지 않을까.

수많은 아픔을 겪고 그 아픔에 익숙해지면서도 또 여전히 힘들고 아픈 나이, 그래서 어른들은 그 아픈 감정을 조절하고 참아낸다. 이게 어쩌면 무르익어 가면서 만들어진 한 송이의 꽃일지도 모른다. 하지만 그들은 또 그 속에서 저마다의 새로운 아픔을 겪고 행복을 겪는 것이라고 생각된다. 맛 좋게 무르익은 과일도 수많은 벌레와 비의 시련을 이겨내고, 또 가끔은 따듯하게 내리쬐는 햇빛을 받으며, 마지막까지 그 시련과 행복을 겪으며 만들어진다. 그렇다면 사람도, 어른이 되기까지 얼마나 시련과 행복을 겪으며 무르익어 갈까.

나도 이 글을 쓰면서 조금은 무르익어 가는 중이라고 믿고 싶다. 이 글을 쓰기까지, 나는 뭘 써야 할지 고민을 많이 했다. 나는 내가 누구인지, 내가 하고 싶어 하는지 모르고 있었으니까. 그래서 쓰게 됐다. 어른이 된 나는 하고 싶은 것도 없고, 마주하기 싫은 게 많으니 이걸 쓰면서 조금은 어른으로 한발 나아가고 싶었다. 잘 나아갔는지는 시간이 지나고 봐야 알 것 같지만 말이다.

여전히 서툰 나의 지금은, 글에서도 서투름이 나타났을 것이다. 아쉽지 않다면 거짓말이겠지만, 이게 지금의 나니까. 나의 서투름은 결국 나의 성장의 밑거름이 될 것이라고 생각하고 글을 마무리한다.

무르익었을 미래의 나에게, 나의 서투름이 많은 도움이 되었기를.

그렇게 숨어있던 나는,
지쳐있는 나를 직면했고,
온전히 나를 위해 살기로 다짐했다.

최송희

최송희

삶의 시간 속에서 무수히 많았던 사람들을 지나쳐 왔다. 사람을 좋아하지만, 반면에 사람에 대한 두려움도 있다. 하고 싶은 것이 많은, 현재에 충실한 삶을 사는 중이다.

사람을 만날 때마다 느끼는 두근거림이 있다.

진중하게 에너지를 많이 쏟기 때문일까? '업'에서의 나와 '개인'으로의 나는 사람을 만나고 헤어짐에 있어 다른 양상을 보인다. 활발하게 적극적인 모습으로 스스럼없이 대화를 이끌어 가는 '업'에서의 나와, 어색하거나 낯선 환경에서 낯선 사람을 만날 때 유난히 조용해지는 '개인'의 나를 볼 수 있다. 단순하게 사람 자체를 좋아하면서도 반면에 사람 자체를 싫어하는 면도 있다. 이 모순적인 사고는 사람을 대할 때 확연하게 드러난다.

수년 만에 만나는 지인도 마치 어제 본 것처럼 편안해서 끊임없이 대화가 이어지고 시간 가는 줄 모른다. 하지만, 평소 잘 안다고 생각했던 지인을 만나도 대화가 뚝뚝 끊기기 일쑤라 피곤함을 핑계로 약속을 일찍 파하기도 한다. 익숙하고 낯익은 사람을 더 좋아하면서도 새로운 사람을 만나고 싶어 하는 이중적인 모순이 '업'에서의 나와 '개인'의 나를 만드는 것은 아닐까?

매번 사람을 만날 때마다 느끼는 두근거림이 있다. 나의 눈빛을 반짝거리게 만드는 처음 만나는 사람들. 오늘은 또 어떤 사람이 나의 설렘을 자극할지 기대가 된다. 의문이 가득한 얼굴을 하고 멋쩍은 듯 머뭇거리는 사람도 있고, 당당한 걸음으로 다가와 자신 있는 목소리로 질문을 던지는 사람도 있다. 평소 사람을 좋아하고 관심이 많은 만큼이 '업'이 잘 맞는지도 모른다.

사람을 관찰하면서 나를 대하는 태도로 신뢰하는지 관심이 없는지 짐작할 수 있다. 가령, 의자에 축 늘어져서 등을 기대로 삐딱하게 앉아 시선을 내리깔고 하품한다. 시간이 지루하거나 관심이 없어 빨리 끝내고 싶어 하는 행동이다. 몸을 앞으로 기울이고 눈을 반짝거린다. 미소 지으며 고개를 끄덕이고 연신 질문을 한다. 이 시간이 본인에게 유익하고 도움이 되어 더 많은 이야기를 나누고 싶은 행동이다. 사람마다 차이는 있지만 대부분 비슷한 행동을 보인다. 그래서 효율적으로 시간을 활용하기 좋다.

어쩔 수 없이 방문하는 경우 간단한 설명만 한다. 반면, 지금도 충분히 잘하고 있음에도 부족하다고 느껴서 무엇이든 계속하는 사람, 시간이 허락하지 않음에도 하고 싶은 것이 너무 많아 욕심을 부리는 사람도 있다. 꾸준하게 앞으로 나아가는 사람에게 더 깊게 귀를 기울이고 방향을 찾을 수 있도록 돕는다. '업'에서의 나는 듣는 힘과 말에 있어서 논리를 통해 풀어가야 한다. 그래서 긍정적인 메시지를 전달하고 자존감을 높일 수 있는 화법을 사용한다.

"자신을 믿어요. 당신은 충분히 해낼 수 있어요. 그러니까 도전해요."

"당신은 최고입니다. 포기하지 말고 기회를 잡아요."

의도가 무엇인지 빠르게 파악하고 요점을 정리하기 위해서는 듣는 힘이 중요하다. 그래서 매 순간 집중하고 말과 행동을 관찰하기 때문에 그만큼 에너지 소모가 크지만, 처음과 다르게 행동의 변화가 나타났을 때 긍정 에너지를 얻기도 한다.

다양한 사람들이 살아가는 만큼 개개인의 특성도 다르다. 안정감을 주는 차분한 목소리의 사람도 있고, 삐딱한 시선과 거친 목소리의 사람도 있다. 표정과 말투, 행동이 모두 다른 것이지 틀린 것이 아니다. 사람을 만나고 관찰하며 그 다름의 차이를 이해하기까지 오랜 시간이 걸렸던 것 같다. 아직도 그 차이를 다 수용하거나 완벽하게 이해할 수 없지만, 다름의 차이를 인정함으로써 불편함을 최소화할 수 있었다.

어디서든 방관자였다.

"너는 너무 감정이 메말랐어." 수년 전 엄마가 내게 하셨던 말이다.

사회에서 벌어진 흉흉한 뉴스를 듣고 세상 걱정하시는 엄마를 보며 벌어지지 않을 일을 걱정하지 마시라고 잔소리하는 딸이 못마땅하셨는지도 모른다.

"엄마, 내가 진짜 감정이 없어?"

"응, 넌 너무 감정이 없어. 너무 메말랐어."

사회에 무관심한 것인지 지쳐가는 것인지 어느 순간 변해버린 딸의 모습이 낯설면서도 걱정이 되어서 그렇게 말씀하셨던 것 같다. 그 정도로 감정이 메마른 사람이었는가 곰곰이 생각했다. 분명 학창 시절까지는 감수성이 예민해 감정을 표현하고 민감하게 반응했었다고 기억된다. 그런데 언제부터였을까? 모든 감정을 외면하게 된 계기가 있지 않을까? 생각해 본다. 누구의 이야기를 들어도 '왜? 굳이? 그래서 어쩌라고?'라는 의문만이 머릿속을 가득 채운다. 머리로는 알겠는데 마음으로 와닿지 않는 상황들이 많았다.

가끔 상대방의 행동이나 말을 듣고 고개를 갸웃하게 된다. 가령, "오늘 기분이 안 좋아서 머리 염색하고 왔어."라는 말을 들으면 제일 먼저 머릿속에 떠오르는 말은 '응?? 그래서 어쩌라는 거지?'이다. 오히려 나는 기분 안 좋을 때 머리를 자르거나 염색하면 기분이 더 나빠졌었다. 그래서 기분이 좋지 않은 것과 머리 염색의 연관성을 파악할 뿐, 공감대 형성이 되지 않아 상대의 기분을 알아차리지 못한다. 이럴 땐 보통 "오늘 무슨 일 있었어?", "누가 속상하게 했어?"라고 상황이나 사람을 통해 속상한 일이 있었는지를 먼저 물어본다. 그리고 상대방의 이야기를 들으면서 고개를 끄덕이며 안타까운 표정으로 "그랬구나, 속상하겠다. 마음은 괜찮아?"라고 공감을 해줘야 한다고 글로 배웠다. AI보다 공감 능력이 부족한 나는 사람과 소통하고 공감하는 방법을 학습하고 사용한다. 소통하고 공감하는 방법을 잊은 건지, 잃어버린 것인지 알 수 없다. 어쩌면 외면하고 싶은 것인지도 모른다. 감정을 이해하고 마음의 공감을 하는 것, 그것이 현재 나의 가장 큰 과제이다.

어디서든 방관자로 살았다. 그래서일까? 마지막까지 모르는 일들이 많았다. 지인들은 서로 고민을 털어놓고 해결 방법을 찾은 뒤 나중에 전해주거나, 잘 풀리지 않고 답답할 때만 찾았다. 무리 속에 있어도 혼자였고 데면데면한 관계에 소외감을 느낄 때도 있었다. 그런 관계도 시간이 지나면서 익숙해졌다. 꼭 필요로 하지 않아도 괜찮았고 그냥 그런가보다 넘겼다.

"우리 중 네가 제일 신비해. 한 번도 속마음을 말하지 않아서 알 수 없어."

다 아는 사실만 말할 뿐 속마음을 표현하지 않아서 신비주의자라는 말을 들었었다. 불편한 관계에선 말을 아꼈고, 믿을 수 있는 관계에선 속마음도 털어놓았다. 비밀을 공유해야만 친구가 될 수 있는 것은 아니지만 비밀을 공유해야 친밀함을 유지할 수 있다고 생각했다. 지인의 고민을 들으면 먼저 잘잘못을 따졌고 공감보다는 직설적인 표현을 썼다. "그 상황에서 행동을 잘못한 네 책임이야.", "애초에 시작하지 않으면 될 문제였어. 후회해도 소용없다." 솔직함이 옳다고 믿었을 뿐,

그것이 오만함이라는 것을 그때는 미처 알지 못했다.

직설적인 화법에 '상처받았겠구나'라고 깨닫게 된 건 복수전공을 하면서였다. 그래서 타인의 입장으로 상황을 그려보고 기분을 떠올렸다. '만약 내가 그 상황에 있었다면 어떻게 했을까?', '만약 내가 그 입장이었다면 어떤 기분이 들었을까?' 상황을 보고, 듣고, 읽었다. 그리고 마음속으로 '하나, 둘, 셋'을 세고 말했다. 격해진 감정을 누그러뜨릴 수 있는 3초의 시간이 중요했다. 그리고 상대를 탓하는 너 말하기를 "나는 이런 기분이 들었어."라고 나 말하기로 바꾸었다. 「안돼, 틀렸다, 잘못이다, 네 탓이다」라는 단어를 줄이고, 「괜찮다, 그럴 수 있다, 다르다, 이해할 수 있다」라는 단어를 선택했다. 말하기 전에 한 번 더 타인의 입장으로 생각하는 습관을 들이고 부드럽게 말하기를 연습했다.

'나'에 대해 깊이 파고들면서 어딘가 모나고 삐뚤어진 사고의 '나'를 발견했다. 성장기에 형성된 부정적인 사고를 성인이 되어 긍정적인 사고로 바꾸는 것은 결코, 쉽지 않았지만 있는 그대로 '나'를 받아들이고 그 자체를 인정하려고 노력했다. 그리고 사람에게 조금 더 관심을 가지고 행동을 관찰하며 기분을 느껴보고 마음을 헤아렸다. 그렇게 같지 않은 것을 틀렸다고 생각했던 이전과 다르게, 같지 않은 것은 다르다는 차이를 이해하게 되었다.

믿음이 깨지는 것을 외면한 건 나였다.

언제부터인가 다른 사람에게 나의 안부를 묻는 지인이 있다. 내가 잘 지내는지, 같이 만나는 건 언제 가능한지 다른 사람에게 물어본다. 어느 순간 다른 사람이 메신저가 된 듯하다. 다른 사람을 통해 나의 안부를 묻는다고 전해 들을 때마다 묘한 기분이다. 기분이 나쁜 것도 좋은 것도 아니고 뭔가 꺼림칙한 이상한 기분이 든다.

「더 이상 연락하지 않는 연락처는 삭제합니다. 연락하실 분들은 메시지 남겨주세요.」

불필요한 연락처를 정리하기 전 남겨둔 메시지에 두 가지 반응이 있다. 아무 반응 없거나, 갑자기 하지 않던 메시지를 보낸다. 이때 나는 전자 쪽이 믿음을 가진 사람이라고 생각한다. 왜냐하면, 평소에도 연락하지 않기 때문이다. 이해 안 된다고? 이게 무슨 말이냐고? 매일 자주 연락해야만 관계가 돈독해진다고 생각하지 않는다. 연락은 하나의 수단일 뿐이지 그 자체가 사람에게 관심이 없다는 의미는 아니다. 그래서 무소식이 희소식이라는 말을 선호할 정도로 연락에 큰 의미를 두지 않는다.

그런데 뜻밖에 상태 메시지에 반응한 건 오래 알고 지낸 지인이었다. 지인은 다른 사람에게 내 상태 메시지 때문에 불편하다고 표현했다고 한다. 대체 왜 그러는지 모르겠다는 의아함과 상태 메시지로 인해 풀지 못한 것이 남아 이번에는 같이 만나지 않겠다는 의사를 전했다고 들었다. 그 말을 듣고 황당함도 잠시, 순간 짜증이 확 밀려왔다. 지인은 먼저 나에게 연락했을 때 잘 지내냐고 물을 뿐, 궁금해하거나 묻지 않았었다. 더 이상 연락하지 않는 연락처 삭제에 왜 그토록 예민한 반응을 한 것일까? 무엇이 불안했을까? '나'는 지인에게 어떤 존재이고 의미였을까? 꼬리에 꼬리를 무는 질문이 얽히고설켰다. 이전에도 다른 사람에게 나의 안부를 물었다고 해서, 지인에게 하고 싶은 말이 있으면 직접 연락해 달라고 메시지를 보냈었다. 그때도 긍정도 부정도 아닌 모르겠다는 뉘앙스의 딴청 피우는 이모티콘으로 대신 답을 했던 지인이었다. 그 반응을 어떻게 받아들여야 할지 의도를 알 수 없어 마음이 더 복잡해졌다.

평소에도 가끔 연락하거나 시간 될 때 한 번씩 만났다. 예전부터 하고 싶은 말이 있어도 직접적으로 표현하지 않았고, 눈치를 많이 보고 상처를 잘 받았었다고 기억된다. 문득, 수년 전에 만났을 때 "왜 내 얘기는 안 들어줘? 내 얘기도 들어줘."라고 했던 말이 떠올랐다. 그때 나는 얘기를 듣고도 조언 정도만 했던 것 같다. 당시 고민을 '일'처럼 구분할 수 없었던 것은 그 대상이 지인이기 때문이었다. 그래서일까? 그게 서운함으로 계속 남아 있었던 것은 아니었을까? 생각한다.

어쩌면 오래전부터 믿음이 깨져가는 것을 애써 외면한 건 나인지도 모른다. 오래된 사이일수록 무소식이 희소식이라고 생각하며 이해해줄 것이라고 믿었다. 번아웃증후군을 겪은 이후 한동안 사람들과 연락하지 않고 지냈다. 마음의 여유도 없었고 경제적으로 어려운 상황이 있었다. 그래서 가끔 지인에게 연락이 왔을 때 반기지 않았던 나의 태도가 떠올랐다. 그렇게 어려운 사람으로 이미지를 굳혀간 건 나였다. 타인에게 관심을 가지지 않았던 태도를 반성한다. 그리고 나를 믿어주지 못한 지인의 태도에 서운함을 표현해 본다. 조금이라도 관심이 있었다면, 나를 조금 더 믿어줬었더라면 좋았을 것 같다.

오랜 시간을 알고 지냈더라도 소통이 되지 않는다면 의미가 있을까? 여러모로 생각이 많아지는 질문이다. 시간이 지날수록 관계를 유지하는 일이 어려워진다. 신뢰가 없는 관계에서 오해는 오해를 낳는다. 두 사람 사이에 제3의 인물을 두고 의사를 전달하는 것만으로도 오해가 될 수 있다. 서운한 감정이 남아 있다면 회피하지 말고 직접 표현하는 것이 오해를 줄일 수 있다. 한때는 정말 친한 사이로 지냈을지라도 그 연이 끊어지는 건 한순간이다. 그것은 서로의 믿음과 신뢰의 차이다. 그래서 연이 닿아도 조금 거리를 두고 오랜 시간 지켜보는 것은 아닌지 생각해 본다.

높게 쌓아 올린 탑이 우수수 무너져 내렸다.

"괜찮아?" 그 한마디면 충분했다. 그때부터였다. 감정을 말하지 않았다. 생각만큼 결과가 나쁘지 않았음에도 개운하지 않은 느낌이 남아 있다. 술 한잔에 시원하게 툭툭 털어버리지 못하고 감정에 휩싸이는 그런 날이 있다. 당시 만나고 있던 사람이 무슨 일 있는지 물었다. 유난히 일이 좀 꼬이고 계획한 대로 잘 풀리지 않아 바쁘게 뛰어다녔다. 미숙한 행사 진행으로 불편함을 초래했지만, 행사의 목적은 달성할 수 있었다. 그래서 많이 힘들었다고 말하는 내게 "너만 힘들어? 난 더 힘들어."라고 그가 말했다. 그 말에 입을 다물었다. 갑자기 말문이 막혔고 툭 하고 뭔가 끊어진 것처럼 침묵이 이어졌다. 아무것도 넘기지 못하고 애꿎은 음식만 헤집다가 식당을 나왔다. 그저 울컥 치밀어 오르는 감정만 억눌렀다. 알 수 없는 감정들이 뒤섞였고 한동안 잊히지 않았다.

사회 초년생이던 시절, 크고 작은 실수의 연속이었고 그때마다 유리처럼 산산조각 났다. 뭔가를 해내야겠다는 목적의식은 없었지만 필요한 존재이길 바랐다. 말없이 서류를 검토하던 중에 돌연 문서가 잘못되었다며 다시 작성해서 결재를 올리라고 했다. 문서 끝이 잘못되었다며 「.」을 넣고 빼기를 2~30회 이상 재결재를 반복했다. 출장비 문제로 화가 났음을 보여준 것이었다. 죄송하다는 말과 함께 해당 사유에 있어 문제 발생 원인과 해결 방법을 설명하고 나서야, 상황이 정리되었다. 한동안 문서 끝에 들어가는 「.」을 지독하게 싫어했다.

사회 초년생이던 나는 한없이 부서지는 유리였다. 단단한 만큼 쉽게 부서졌다. 며칠을 동굴을 파고 한없이 들어갔고, 안정을 찾을 즈음 빠져나올 수 있었다. 동굴은 습관이 되었다. 더 이상 화도 나지 않았고 슬프지도 않았다. 그렇게 더 이상 유리는 부서지지 않았다.

단기 근무 중에 이직의 기회가 생겼다. 빠르게 입사지원과 면접이 끝나고 장문의 문자를 받았다. 요약하면, 아쉽지만 이번에 함께 하기는 어려울 것 같다, 지원해 주셔서 감사하다는 내용이었다. 그렇다고 딱히 아쉬운 기분도 없다. 여느 날과 다름없는 일상이었고, 한 통의 전화를 받았다. 면접 봤던 곳에서 2차 면접 제의를 하기에, 이미 떨어졌다는 문자를 받았고 포기했다 말했다. 예상 밖의 뜨뜻미지근한 반응에 당황한 건 상대방이었다. 1시간 가까이 통화하면서 설득당했고 결국 2차 면접에 참여했다. 꼬리 질문의 압박이 있었지만 기죽지 않고 답을 했었다. 훗날 들은 얘기지만, '뽑을 거면 뽑고 아니면 말아'라는 무언의 행동을 보고 이런 면접자는 처음이라고 했다. 이미 1차 면접에서 떨어졌기 때문에 신뢰가 없는 상황에서 나온 태도는 오기였을 뿐이다. 그래서 다시 찾아온 기회였지만 그렇게 절실함은 없었던 것 같다.

일 욕심이 많았다. 역량이 부족하다고 느낄 때마다 교육받았지만 채워지지 않는 단 하나가 늘 발목을 잡았다. 좋아하고 잘하는 일을 하고 있음에도 늘 허기가 졌고, ‘인정’받기 위해 일에 집착했다. 그 사이 직원이 계속 바뀌었다. 제법 친밀한 관계라고 생각했던 사람이 하나 둘 떠났다. 새로운 사람이 들어올 때마다 업무를 전달하는 행동과 말투에도 변화가 찾아왔다. 의사소통 문제였을까? 전달자의 태도가 문제인지, 받아들이는 태도가 문제인지 보이지 않는 대립이 이어질수록 마음의 탑은 높아져 갔다. 갑자기 얘기 좀 하자는 말에 무슨 일이 있는 줄 알았다. 업무 태도와 주어진 일을 처리하지 않는다는 얘기를 전해 듣고 일순 사고가 정지했다. 이야기를 듣는 것도, 말하는 것도, 사람을 만나는 것도 모두 다 괜찮았다. 하지만 왜 일을 하지 않고 놀고만 있냐는 그 말에 더 이상 참을 수 없었다. 그래서 한동안 자아를 찾지 않았다.

핏기 하나 없는 비쩍 마른 몰골이 보였다. 거울에 비친 모습을 보고 말문이 막혔다. 참담하다, 비참하다는 표현이 더 어울렸다. 가혹한 채찍질만 하면서 그렇게 악착같이 버텨내고 있었나 보다.

“돌보지 않아서 미안해. 아프다고 말하는데 외면해서 미안해. 아껴주지 못해서 미안해.”

끝없이 쌓아 올린 탑이 우수수 무너짐을 느끼며 꼭꼭 움켜쥐고 있던 것을 하나씩 내려놓았다. 그렇게 숨어있던 ‘나’는, 지쳐있는 ‘나’를 직면했고, 온전히 ‘나’를 위해 살기로 다짐했다. 자아를 다시 찾은 날, 홀가분한 마음으로 그곳을 떠났다.

오로지 혼자 감내하고 버텨내야 한다는 강박에 사로잡혀 있었던 것 같다. 무슨 일이든 완벽해야 하고 실수는 없어야 한다는 생각을 버리지 못했다. 스스로 채찍질하느라 제대로 돌보지 않은 탓에 자존감이 무너지면서 휘감던 비참한 기분을 잊을 수 없었다. 그런 나의 마음을 치유 하고 싶어 딱 한 번, 상담센터를 찾았었다. 가슴 속 깊이 감춰두었던 분노와 아픔의 감정들을 하나씩 꺼내며 말하는 내내 눈물이 멈추지 않았다. 첫 만남에도 불구하고, 나의 태도와 행동의 문제를 지적받았다. 그 순간 거짓말처럼 눈물이 멈췄고, 어떤 말도 하고 싶지 않아서 입을 꾹 다물었다. 씁쓸함을 뒤로한 채 더 이상 찾지 않았다. 이후부터 나는 나를 사랑하기로 했다. 여행하고 싶으면 여행을 가고, 마음이 아프다 하면 위로해 주고, 행복해하면 더 행복한 일만 찾으며 마음의 소리에 집중했다. 그렇게 나를 사랑하는 만큼 자존감도 회복되었다.

괜찮다, 하고 싶은 것 다 해!

"하고 싶은 것 다 해!" 이 말 한마디에 다시 시작할 용기가 생겼다. 정신적, 경제적으로 어려운 시기였고 무기력한 나는 의지조차 없었다. 지켜보던 동생의 도움으로 경제적인 부분을 일부 해결할 수 있었다. 혼자 짊어진 무게를 나누지 못해 항상 마음의 빚으로 남았다. 그럼에도 도움을 주었던 동생이기에 더 미안하고 고마웠다. 힘이 되어주는 말 한마디에 안도감을 느꼈다. 괜찮다고 했고 내 탓이 아니라고 했다. 공부하고 싶으면 공부하고, 일을 하고 싶으면 일을 하라며 눈치 보지 말라고 했다.

"좋아하는 일이잖아. 누구보다 잘할 수 있잖아. 앞으로도 계속 그 일 했으면 좋겠어!"

"지금까지 잘해 왔어. 자신감 있잖아. 그러니까 포기하지마!"

일을 선택하면서 고민이 될 때마다 얘기를 잘 들어주었고, 적절한 피드백까지 해주었다. 선택을 존중하고 응원하는 든든한 버팀목이 되어준 동생이 있었기에 다시 일어설 수 있었다.

수년 전 휴식이 필요했던 시점이었다. 쉬는 중에 아는 사람을 통해 일을 제안받았다. 시작하는 회사여서 안정성을 제외하면 나쁘지는 않다고 생각했다. 그렇게 새로운 환경에서 일을 시작했다. 순조롭게 출발한 듯 보였으나 순탄하게 흐르지는 않았다. 일은 예정대로 착착 진행되고 있지만, 수익은 그렇지 않았나 보다. 끈질긴 요청을 거절하지 못하고 나서야 '아차' 싶었다. 받아야 할 것이 남아 있음에도 어렵다, 기다려달라는 핑계로 아무것도 받지 못했다.

친밀했던 지인과 통화하면서 솔직하게 털어놓았다. 그런데 지인은 대뜸 나를 질책했다. 예전과 지금이 하나도 변한 게 없다며 "넌 왜 항상 그런 식이야? 왜 변하질 않아?"라는 말에 내 마음은 그대로 무너져 버렸다. 벌벌 떨리는 마음이 좀처럼 진정되지 않는 상태에서 연락한 것이 큰 잘못으로 느껴졌다. 예전부터 참 좋아했던 지인이었다. 종종 같이 밤새 떠들다 아침이 밝아올 무렵에 잠들기 일쑤였고, 혼자서 끊임없이 고민하다가도 지인에게 털어놓으며 해결 방법을 찾기도 했다. 항상 진심으로 들어주고 진솔하게 말하는 사람이었기에 내가 의지할 수 있었다. 사회에 나와서는 전처럼 자주 연락하지는 못했어도 가끔 통화하거나 만날 때면 시간 가는 줄 몰랐고, 마치 어제 본 것처럼 편안했다. 그 편안함이 너무도 익숙해졌기 때문일까, 시간의 변화를 눈치채지 못했다. 오랜 시간만큼 제일 믿었던 한 사람이었고, 누구보다 속을 털어놓을 수 있는 사람이었다. 도움이 필요한 것도 아니고, 도와달라고 요청한 것도 아니었다. 단지 "괜찮아?"라는 한마디가 필요했다. 그날 이후 다시 연락하지 않았고, 연의 끈마저 놓아버렸다.

지푸라기라도 잡고 싶었다. 악재는 겹쳐서 온다고 했던가. 새삼 처한 상황에 헛웃음이 나왔다. 잘잘못을 따지고 싶지도 않지만 그렇다고 누구 탓을 하고 싶지도 않았다. 애초에 벌어질 일이었다면 지금보다 더 먼 훗날이 아니라는 것에 오히려 안도했다. 몸도 마음도 엉망이 되어, 어떻게 시간을 버텨냈는지 모른다. 목표가 있었다면, 무조건 살아야겠다는 마음이었다. 전전긍긍, 언제 끝날지 모를 불안감에 휩싸여 지냈던 숨 막혔던 시간이 끝을 보였다. 수년에 걸친 싸움이 끝나고 받아야 할 것들 모두 돌려받았다. 완전히 끝이라는 안도감과 함께 비로소 무거웠던 마음의 짐을 내려놓았다.

이 일을 계기로 사람을 다시 보게 되었다. 처한 상황에 따라 등 돌리고 떠나버릴 사람이라면 처음부터 없었던 사람이고, 처한 상황에 따라 곁을 내어줄 수 있는 사람이라면 손을 잡을 수 있었다. 정신적, 경제적으로 도움을 많이 주었던 동생이 있었고, 묵묵히 곁을 내어주고 이야기를 들어준 지인들도 있었다. 가장 힘이 들었던 시기에 손을 잡아준 고마운 사람들이다. 과거에 집착하지 않았기 때문에 쉽게 털어버릴 수 있었고 새롭게 시작할 수 있는 발판을 마련하는 계기로 삼았다. 격려와 응원을 보내준 사람들을 원동력으로 주저하지 않고 앞으로 나아갈 수 있었다. 더는 무너지지 않겠다고 다짐했다. 꾸준하게 믿음을 주었던 사람들에게 보답하기 위해서라도 스스로 다독이며 다시 나의 삶을 찾아갔다. 괜찮다, 너 하고 싶은 것 다 해!

끝까지 달려가자, 더는 도망치지 않아!

직업훈련을 시작했다. 타인에 의한 의심의 눈초리를 애써 무시하지 못해 도망친 것일 수 있지만, 채우지 못한 부족함을 느끼고 있는 스스로가 만들어 낸 자격지심에 의한 선택일 수도 있다. 이유가 무엇이든 성장하기 위한 발판으로 삼기에 더할 나위 없는 직업훈련의 긴 시간은 표면적으로 드러내기에 좋은 핑계라고 생각했다. 또다시 새로운 환경에서 새로운 사람을 만나는 기회로 생각하는 것도 나쁘지 않았다.

목표를 이루기 위한 시간은 이미 시작되었고, 사람들 속에서 나를 관찰할 수 있는 재밌는 시간이 될 것 같았다. '개인'의 나는 어색하고 낯선 환경에서 낯선 사람들을 만나자 조용하게 관찰을 시작했다. 맨 뒷자리에 앉아 조용히 있었다. 첫 시간부터 자신을 드러내는 사람들이 몇몇 보였다. 다수의 사람이 모일 때 어떻게 자신을 드러내는지 관찰하는 재미가 제법 쏠쏠했다. 얄팍하게 아는 것으로 아는 체하는 모습도 보이고, 주목받고 싶어 하는 모습도 보였다. 사람마다 차이는 있지만, 그래도 난 자신 있는 만큼 겸손한 모습을 더 선호하나 보다. 정말 잘 아는 사람은 말과 행동이 무겁다는 것을 새롭게 발견했다. 여기 내가 본받고 싶은 모습을 가진 분들이 정말 많았다. 겸손하게, 무게감 있게, 신뢰를 주는 태도와 행동들을 본받고 익혀야겠다는 추가 목표를 잡았다.

정말 조용히 공부만 할 생각이었다. 나를 드러내지 않겠다고 다짐했었다. 하지만 '업'에 관련된 직업훈련인 만큼 언제까지고 조용히 있을 수는 없었다. '개인'의 나로 직업훈련을 시작했는데 어느 순간 '업'에서의 내가 직업훈련을 받고 있었다. 놀랍지도 않았다. 그만큼 '업'에 대한 자부심과 자신감이었다고 생각하고 싶다. 그게 결코 자만은 아니다. 왜냐하면 직업훈련을 받는 동안 나를 점검 할 수 있는 시간이 되기도 했으니까. '업'에서의 내가 유난히 완벽주의를 꿈꾸었던 이유도 나름 찾은 것도 같았다. 좋아하는 것을 찾아서 적는 실습이었는데, 취미나 평소 좋아하는 것을 적는 것임에도 모두 일과 관련된 것들만 적고 있었다. 사람을 관찰하고, 사람을 상대하고, 사람을 만나고 하는 것들이 주 내용이었다. 내가 생각해도 어이없는데 다른 사람들이 이해하는 것이 이상할 것 같았다. 역시나 내용을 공유하는 중에 누군가 나보고 정말 좋아하는 것이 일과 관련된 것이냐고 물었다. 나는 그렇다고 대답했다. 이유는 설명하지 않았다.

교수자가 설명하고 학습자는 듣는 형태가 제일 좋았다. 말하고 싶지 않은데 굳이 말해야 할 때처럼 힘든 것은 없었다. 종종 두 사람, 세 사람, 혹은 조별로 실습할 때가 있는데, 그때마다 같이 하고 싶지 않은 사람들을 피하느라 눈치 싸움을 꽤 많이 했다. 아무래도 성향이 맞지 않거나 어려운 사람이 있었기 때문에 실습만큼은 소통이 잘 되는 사람이 좋았다. 학습자 대부분은 다른 분야에서 직업을 가지셨던 분들이기 때문에 배울 점도 많았고 정보를 얻을 수도 있었다. 그래서 더더욱 실습 때는 나 혼자만의 리그를 진행했다. 다시 생각해도 어이없긴 하지만 나름 혼자 치열했던 재밌는 시간이었다.

성인이 된 이후 장시간 책상 앞에 앉아 교육을 듣는 것은 생각보다 어려웠다. 예전에 학생일 때 어떻게 수업을 들었을까? 새삼 학생 때의 나에게 존경심을 표했다. 역시 공부는 어릴 때 하는 게 좋다는 결론을 지었다. 시험이 제법 많았다. 외워야 할 내용도 넘쳐났다. 암기력이 좋은 편이 아니라서 뒤돌아서면 잊어버렸다. 내가 그렇게 기억력이 나쁜 줄 처음 알았다. 목적이 공부라서 그런지 모르지만 외우는 건 예나 지금이나 잘 안됐다. 쉽게 기억하라고 단어를 조합해서 문장을 만들어 암기하는 방법도 여러 가지다. 학습력이 좋은 분들의 도움을 많이 받아서 나쁜 기억력을 가진 나도, 시험 때는 악착같이 외워서 하나도 놓치지 않고 점수를 챙겼다. 학교 다닐 때 그렇게 열심히 했었다면 in 서울 대학은 갔을까? 하지만 역시 무리라고 생각한다. 왜냐하면 난 진심으로 공부를 싫어했으니까. 현재 삶에 만족하는 것으로 정리하자. 시험 점수가 높을 때마다 기분도 상쾌했다. 나름 성취감이 높기도 했지만, 역시 교수자들의 칭찬을 받는 것이 내겐 더할 나위 없는 행복이었다.

훈련기간 동안 진행된 16회의 시험을 치르고 최종 2회의 시험을 앞두고 있었다. 16회의 시험은 각각 한 과목씩 시험을 보는 것이라서 부담이 덜 됐다. 최종 시험은 어디서 어떤 문제가 나올지 모르니까 암기할 양이 평소보다 몇 배가 되었다. 하기 싫은 마음에 억지로 붙잡고 있으니 늘어지기만 했다. 그래서 최선을 다했다고 말할 수도 없다. 결국 최종 1회차 시험은 보기 좋게 망했다. 문제를 보고 경악했다. 아니, 설마? 하는 문제가 나올 줄 이야. 그날 집에 와서 분함에 펑펑 울었다. 너무 미워서, 안일하게 생각한 내가 원망스러웠다. 마지막 시험도 포기하겠다, 어깃장 놓았더니 새벽부터 어린애 달래듯 시험 보러 꼭 와야 한다는 메시지 알림이 연신 울렸다. 준비도 하셔야 하는데 어깃장 놓는 철없는 나를 챙겨주신 분들께 죄송한 마음을 가지고 시험장에 들어갔다. 최종 2회차 시험은 다행히도 아는 내용이 있어서 확실하게 답을

적을 수 있었지만, 몇몇 문제는 흰 백지 같아서 말 그대로 뭐라도 적고 나왔다. 최종 시험까지 응시한 그날 날아갈 듯 기분이 상쾌했다. 지난 6개월간의 여정을 마무리하고자 마련한 뒤풀이에서 말하고 싶었지만, 말할 수 없었던 이야기들을 다 풀어 놓을 수 있었기에 아주 후련한 마음으로 직업훈련을 끝냈다.

각자의 삶에서 꿈을 이루고 목표를 찾아가는 과정이 멋있다고 느꼈다. 나는 한 직업으로만 경력을 쌓아왔기에 도태되어 가는 시기가 찾아오곤 한다. 그래서 꾸준히 채찍질하면서 역량을 강화해야지만 나태해지지 않을 수 있었다. 살아온 시간도 경험도 많으신 분들 사이에서 나는 우물 안의 개구리였음을 다시 상기했다. 직업훈련의 합격 결과물은 끊임없이 갈구하던 목표를 채워주었다. 자만하지 않는 것을 목표로 삼고 내 분야에서 멋진 사람으로 자리 잡을 수 있도록 끝까지 달려볼 각오를 했다. 이제 더는 도망치지 않겠다.

내가 제일 예쁘다. 내가 제일 멋지다. 사랑해 나 자신!

삶의 시간 속에서 무수히 많았던 사람들을 지나쳐 왔다. 내가 좋아하는 사람들, 내가 사랑했던 사람들, 내게 잊힌 사람들. 일일이 다 기억할 수도 없지만, 특별히 기억에 남겨둔 사람은 있다. 하지만 그마저도 마음속 깊은 곳에 묻어둘 뿐, 들여다보지 않는 건 과거에 얽매이고 싶지 않기 때문이다. '과거는 과거로 두자, 현재에 충실 하자.' 그것이 가장 큰 이유다.

사람을 좋아하고 관심이 많은 나는, 사람에 대한 상처가 깊어 온전히 받아들이지 않는다. 이 모순이 '업'에서의 나와 '개인'의 나를 구분 짓는다고 생각한다. 그래서 적절한 관계를 유지하고 상처받지 않기 위해 선을 긋는다. 일에서는 이 방식이 잘 맞는데 개인으로, 특히 이성 문제에서는 잘 안되는 것도 사실이다. 바로 얼마 전에도 처음부터 선을 긋지 못해서 한 사람을 잃었다. 짧은 순간에 깊게 마음을 주었다는 사실이 나를 괴롭게 했다. 생각 이상으로 마음을 추스르기까지 시간이 좀 오래 걸렸다. 혼자 결정하고 정리해서 통보한 사실을 받아들이기 힘들었던 것도 있지만, 무엇보다 그 태도에 화가 난 것이 가장 큰 이유다. 그래서 글을 써야겠다고 마음먹은 계기가 되었다. 글을 쓰면서 마음의 깊이를 들여다보고 차분하게 마음을 다스릴 수 있는 시간을 가진 것이 도움이 되었다. 떠난 사람에게 있어 나는 소중하지 않았다. 그러니 훌훌 털어버리면 된다. 얕은 마음이 휘둘러 낸 상처가 더 쓰리고 아픈 법이다. 그렇다고 해서 잘못한 것이 아니니 죄책감 또한 가질 이유 없다. 상처가 두려워 도망치지 말고, 이제는 온전히 받아들여서 무던해질 수 있도록 적응이 필요한 시점이다. 언제까지 새로운 연을 막을 수 없으니까. 그러니 마음의 문을 꽉 닫지 말고 이제부터 작은 틈을 보이는 연습을 해도 좋다. 겁이 나면 한 발 뒤로 물러나되 아예 기회를 없애지는 마라. 괜찮다, 충분히 매력 있다.

태도와 행동이 이미지를 만든다. '인정'받고 싶다는 욕구를 채우기 위해 행동이 만들어진다고 생각한다. 그것은 인성의 문제와 직결되는 것 같기도 하다. 인정받고 싶은 욕구가 강해서 일에 집착하고 완벽함을 추구했다. 일종의 강박이기도 했다. 처음 일을 시작했을 때는 무엇이든 잘하는 사람으로 보이길 원했고, 뭐든 다 할 수 있다, 괜찮다고 받아들였다. 무수히 애쓰고 버티기를 반복하면서도 스스로가 만든 속박에서 벗어나지 못했다. 그래서 무리 속에서 누군가가 나를 싫어하거나 미워하면 무조건 내 탓이라고 생각했다. '내가 무슨 실수 했을까? 내가 오늘 행동을 잘못했을까?' 며칠 행동을 되돌아 보고 문제점을 찾았다. 고치고 변하고 노력하면 된다고 생각했다. 하지만 행동 문제의 이유가 아니라는 것을 깨달았다. 있는 그 자체로 어떤 행동에도 싫어할 사람이었다. 그러므로 자책하고 행동을 고칠 이유가 없었다. 이후부터 '인정'받고 싶다는 욕구에 얽매이지 않기로 했다. 당당하게 자신있게 있는 그대로 나답게, 내가 중심이 되었다. 타인의 시선과 평가에 맞추어 나를 바꾸지 않아도 된다. 그러니 기죽지 마, 당당해져라, 그 자체로 빛나는 '나'이다.

"당신은 지금 가장 듣고 싶은 말이 무엇입니까?"라는 질문을 한다면 어떻게 답할 것인가? 이미 답은 정해져 있다. 주저 없이 "괜찮다. 괜찮다. 괜찮다." 이렇게 답할 것이다. 내가 가장 듣고 싶었지만 가장

들을 수 없었던 말, "괜찮다." 그 한마디이다. 참으로 인색할 정도로 들을 수 없었던 말이어서 항상 갈구하고 또 갈구했다. 왜 아무도 나에게 괜찮냐고 물어보지 않고, 괜찮다고 말해주지 않았을까? 이게 뭐라고 이렇게 울컥 서글픈 마음이 드는지 모르겠다. 지난 시간 속에서 타인에게 비추어진 나는 어떤 사람이었을까? 그 이미지가 좋은 영향을 주지 않았다고 확신하는 건 누구도 품어주지 않았던 태도로 알 수 있다. 다만, 그대들의 시선으로 신경 쓰지 않아도 괜찮을 거라 단정 짓지는 않았으면 한다. 단단하고 견고해 보여도 찌르면 아픈 건 누구든 똑같다. 이제 감정을 호소하지 않기로 했다. 타인에게서 억지로 받아내는 공감과 위로는 채워지지 않을 뿐이고, 무엇보다 의미가 없다. 진정으로 품어줄 자신이 없다면 시도하지 않는 편이 서로에게 현명한 방법일 것이다. 그렇다고 해서 전처럼 마음을 닫고 산다는 의미는 아니다. 언제든 누구든 품어줄 자신 있고, 나를 맡길 생각도 있다. 위로와 공감은 주고받는 것이니까, 위로와 공감을 주고받을 사람은 언제든 환영이다.

거울에 비친 나에게 소리 내어 말해 본 적 있는가? "내가 최고다! 내가 제일 잘났다! 내가 제일 사랑한다!"라고. 자존감이 떨어질 때 제법 효과를 볼 수 있는 주문이다. 그래서 나는 자존감이 떨어질 때 종종 사용하는 방법이기도 하다. 속상한 날, 지쳐서 아무것도 하고 싶지 않을 때, 나에게 토닥토닥 괜찮다 잘하고 있다, 힘들 땐 잠시 쉬어가도 괜찮다고 격려해 주자. 목표를 성취한 날, 성과가 좋은 날 나에게 크게 박 수 쳐 주며 해낼 것이라고 믿었다, 축하한다, 잘했다고 칭찬해 주자. "내가 제일 예쁘다! 내가 제일 멋지다! 사랑해 나 자신!" 거울 속의 내가 크게 웃는다. 거울 속의 나를 보며 한바탕 크게 웃었다. 타인에게 받는 격려와 위로가 도움이 되는 것은 당연하다. 하지만 그보다 더 중요한 것은 '나'이다. 스스로가 격려하고 응원의 말을 해줄 때 더욱 긍정적인 에너지를 얻을 수 있다. 지금 당신은 괜찮은가? 자신감이 부족한가? 자존감이 떨어져서 스스로 자책하고 있는가? 그렇다면 거울을 보고, 거울 속의 나에게 큰 소리로 말해주었으면 한다. 당신은 지금까지 잘해 왔다. 멈추지 말고 앞으로 나아가자. 할 수 있다는 그 믿음 포기하지 마라. 충분히 가능성 있는 자신을 믿자. 크게 소리 내어 말해야 효과가 크다.

한 번쯤 나를 위한 시간을 갖고, 마음 소리에 집중하면 원하는 것을 찾을 수 있다. 원하고, 바라고, 잘하는 것을 실행할 때 비로소 즐겁다. 사랑하면 예뻐진다는 말처럼, 스스로 인정하고 사랑한 만큼 표정이 밝아지고 말과 행동에 자신감이 드러난다.

그때 타인의 인정과 신뢰도 자연히 따라온다. 자신이 소중한 만큼 나를 사랑할 수 있는 내가 되기를 바란다.

시간을 걸어서 나를 만났다

발행 2024년 7월 7일
지은이 김기웅, 함성일, 시옷, 최송희
라이팅리더 조주헌
디자인 윤소정
펴낸이 정원우
펴낸곳 글ego
출판등록 2019.06.21 (제2019-000227호)
주소 서울시 강남구 강남대로 118길 24 3층
이메일 writing4ego@gmail.com
홈페이지 http://egowriting.com
인스타그램 @egowriting

ISBN 979-11-6666-513-4